ポピュリズム
大陸
南米

POPULISM
SOUTH AMERICA

日本経済新聞記者 前サンパウロ支局長
外山尚之
TOYAMA NAOYUKI

日本経済新聞出版

ポピュリズム大陸　南米　目次

第2章 アルゼンチン 落日の大国を覆う投票の呪縛　95

第3章 ブラジル　怒りが揺らす社会秩序

第4章　チリ、コロンビア、ペルー、ボリビア

格差が招く終わりなき混乱　247

序章

SOUTH AMERICA

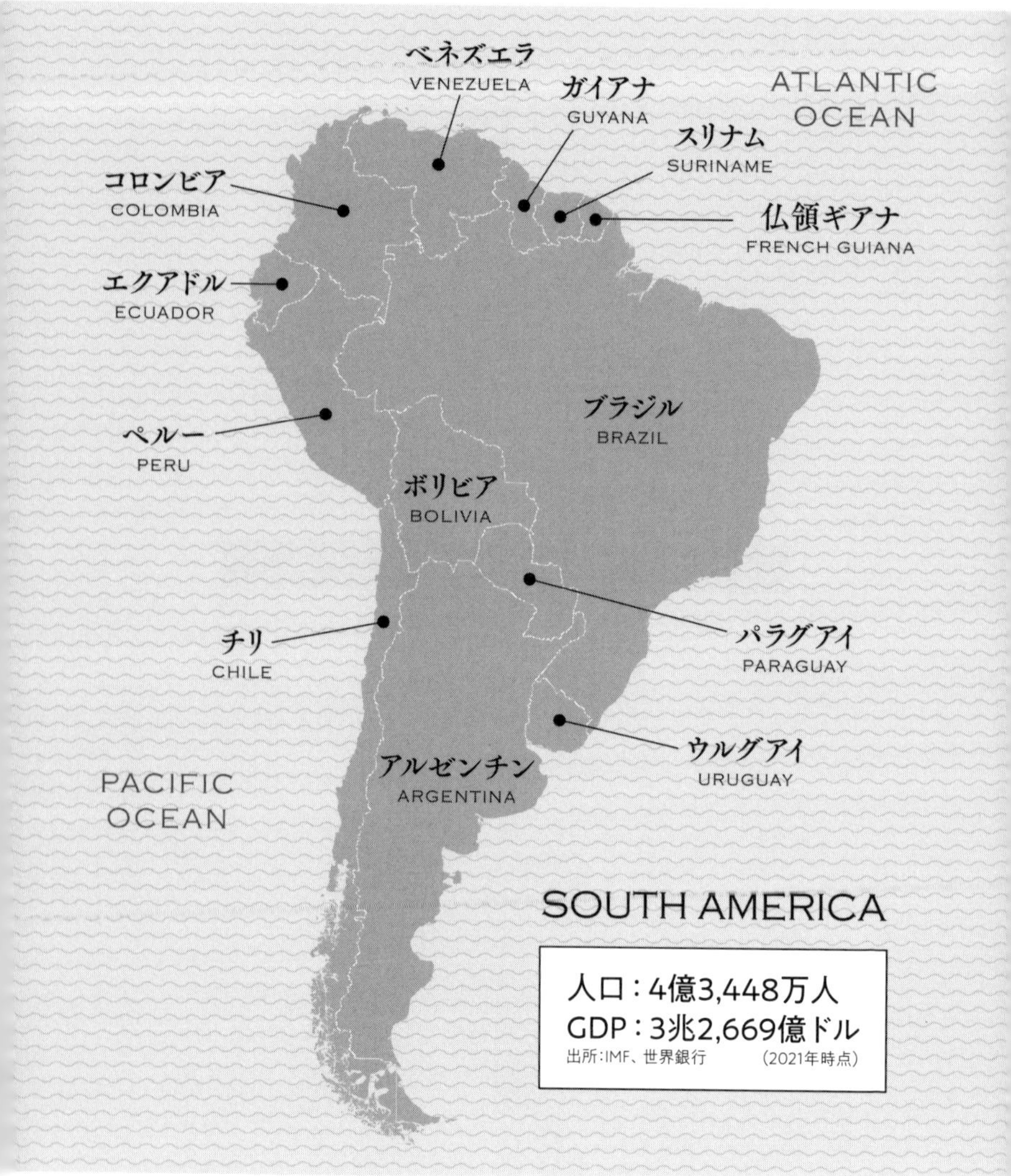
ベネズエラ
VENEZUELA
ガイアナ
GUYANA
ATLANTIC OCEAN
スリナム
SURINAME
コロンビア
COLOMBIA
仏領ギアナ
FRENCH GUIANA
エクアドル
ECUADOR
ブラジル
BRAZIL
ペルー
PERU
ボリビア
BOLIVIA
パラグアイ
PARAGUAY
チリ
CHILE
ウルグアイ
URUGUAY
アルゼンチン
ARGENTINA
PACIFIC OCEAN
SOUTH AMERICA
人口：4億3,448万人
GDP：3兆2,669億ドル
出所：IMF、世界銀行 （2021年時点）

「ベネズエラに将来はない。リオデジャネイロに行って、仕事を見つける」。夜もふけた午後10時半、虫が飛び交う街灯の下で、17歳のホセ・ゴメスはタバコの火を見つめながら力説した。周囲には数十人のベネズエラ人が疲れ切った様子で、道路に敷いた段ボールの上で雑魚寝していた。静けさの中、興奮で眠れないのか、目をギラギラ輝かせながら、自分に言い聞かせるように繰り返した。「ベネズエラと違って、民主主義国家のブラジルにはチャンスがある」

ブラジル北部パカライマ。人口2万人弱の国境の小さな町を私が訪れたのは2019年5月だった。ハイパーインフレや物不足で経済が崩壊状態の隣国ベネズエラから徒歩で逃れる人々がひきもきらず、町は混乱状態となっていた。国連難民高等弁務官事務所（UNHCR）が設置した難民用のテントは満杯となり、あふれた人々が道路で寝ていた。取材で出会ったホセもその一人だった。

「独裁政権が支配する国で生きていくことはできない」。ホセはこう語り、反米左派政権が独裁体制を敷くベネズエラがいかに絶望的な状況かを語った。日々の食事もなければ仕事もなく、学校には何年も通っていないという。「リオには知り合いがいる。そこまで行けばなんとかなる」

ブラジルは広大だ。北部の国境であるパカライマから南部のリオまでは陸路で5000キロメートル離れている。ブラジルの公用語はポルトガル語で、ベネズエラ人の使うスペイン語とは勝手が違う。手持ちの資金もない状況で、どうやってリオまでたどり着くつもりなのか――。こうした質問をするのもはばかられるほど、ホセの目は暗闇の中でギラギラと輝いていた。「ブラジルには自由がある、ベネズエラにはなかったものだ」

独裁政権が支配する破綻国家として数百万人の難民・国外避難民を出しているベネズエラ。世界中から非難を集める反米左派政権はクーデターで生まれたわけではない。選挙という正統な民主主義の手続きを経て、1999年に誕生したものだ。

世界最大級の埋蔵量を誇る原油をはじめとした天然資源を海外に輸出して得た富を国民に分配し、経済成長と格差是正を両立する――。「21世紀の社会主義」という旗印の下で始まった取り組みは国民から熱狂的に受け入れられ、左派政権は選挙で連戦連勝した。

しかし、市場経済を無視したポピュリズム（大衆迎合主義）政策は社会にゆがみを生んだ。政治は市民の歓心を得るために財政を無視した大盤振る舞いを続け、将来のための投資は後回しにされた。海外企業は去り、生産性の低下で原油の生産量が減少し財政収入が落ち込む中でもバラマキは止められず、いつしか紙幣は紙くず同然となった。

市民がおかしいと気がついた時には既に手遅れで、政府は歯向かう野党や市民を弾圧する独裁体制を築き上げていた。17歳のホセが選挙権を得る前に、既にベネズエラの経済は崩壊状態となり、民主主義は終わっていた。

目先の票欲しさに市民に甘言をささやく政権が誕生し、経済基盤そのものが崩れていくという現象はベネズエラでのみ起きている訳ではない。所得格差が広がる中、「救世主」を求める貧しい市民たちの声に応えるかのように、大衆迎合的な政策を掲げるポピュリズム旋風は南米各国で巻き起こっており、勢いを増している。

先進国からの没落が止まらないアルゼンチンでは経済が低迷する中、かつて経済運営で失敗し権力を失った左派政党が政権に返り咲いた。腐敗した既存の政治体制と決別すべく、極右の大統領を選んだブラジルでも、市民は現金給付策で支持か不支持かを決め、汚職疑惑を抱える老齢の元大統領を指導者に戴いた。ペルーでも、天然資源の国有化など、ベネズエラを彷彿とさせる経済公約を掲げる極左の大統領が誕生した。「南米の優等生」と呼ばれたチリですら、格差是正を求める大規模な暴動が発生し、急進左派の大統領が誕生した。半世紀にわたる内戦で左派に対する忌避感が強かったコロンビアでも、市民はついに左派の大統領を誕生させた。

2020年に世界を席巻した新型コロナウイルスは、格差をさらに拡大させ、左派ポピュリズムにとっての追い風となった。貧困街に住む低所得者層が適切な医療を受けられずに息絶えていく中、富裕層は自宅にこもり、食事の調達やスーパーの買い物、犬の散歩まで低所得者層に外注する光景が各国で見られた。貧しい人々の行き場のない怒りは、政治へと向かった。

植民地支配の影響を引きずる南米では富める者と持たざる者の差が挽回不可能なほど大き

く、生まれた家ですべてが決まるといっても過言ではない状況が長年続いている。豊富な天然資源や広大な農地といったアドバンテージにあぐらをかき、格差を放置してきた政治の責任は免れないが、目先の飴ばかりを求め、痛みを伴う改革に反対し続けた国民も責任の一端を担う。

政治も国民も10年、20年先を見据えた国家の運営ができなかったという点で、南米大陸の失敗は民主主義の失敗といえる。格差が拡大・固定化し、これまでの資本主義や既存の政治への懐疑的な目線が広がるという現象は世界的な潮流だ。南米大陸の現状は、財政状況が危機的で通貨安が深刻になりつつある中にも関わらず、主要政党が揃って票欲しさのために現金ばらまき策に走る、日本にとっても他人事ではない。

本書は日本経済新聞社のサンパウロ支局長として、2017年4月から21年9月にかけ、ブラジルを拠点に南米大陸各国で取材してきた経験をもとに執筆している。

日本の約47倍の面積を持ち、4億3448万人の人口を擁する南米大陸は広大だ。赤道直下のブラジルのアマゾン熱帯雨林から標高3600メートルに位置するボリビアのラパス、真夏でも氷河がそびえ立つアルゼンチンのパタゴニアまで地理的環境が違えば住んでいる人々の人種も異なり、ひとくくりにするのは不可能だ。多くの国で公用語となっているスペイン語ひとつとっても、カリブ海に面するベネズエラとアンデス山脈の西側にあるチリでは別言語のような響きを持つ。

どこを切り取っても多様性を絵に描いたような南米大陸を1冊の本にまとめ、紹介することは不可能だということは重々承知している。しかし、それでも人々は国家という枠組みの中で暮らしており、政治が生活に密接に関わっている以上、民主主義というテーマこそが南米大陸の現状を示す上で相応しいと私は信じている。

スマホ一つで世界中の情報が手に入る世の中だが、私は特派員として、可能な限り現場におもむき、現地の人々の声を聞くように心がけた。そこには既存の政治や社会に対する人々の怒りがあり、絶望があり、そして希望があった。

スペイン語・ポルトガル語とも堪能とは言えない日本人がどこまで真実に迫ることができたかは甚だ疑問ではあるが、記者として飛び込んだ私が邪険に扱われることはほとんどなく、皆が自分たちの境遇や主張を世界に知ってほしいと切望していた。新聞記事に書ききれなかった彼らの声や、その背景にある歴史の流れを日本に伝え、民主主義国家としての日本の今後に生かしてほしいというのが、本書を執筆する最大の動機である。

中南米はかつて米国の「裏庭」と呼ばれ、良くも悪くも米国の影響が大きい地域だ。言論面でも国内外問わず反米・親米といったイデオロギーに縛られがちだが、それが現実に即していないことは明らかだ。本書では可能な限りフラットな立場から、それぞれの主張を分析の上、引用している。

地球の反対側に位置し、飛行機でもまる1日以上かかるという地理的制約もあり、日本で得られる南米大陸の情報は欧米諸国やアジアに比べて乏しいと言わざるを得ない。「サッカー・サンバ・凶悪犯罪」というステレオタイプな見方が定着している一方で、鉄鉱石や銅、穀物、コーヒーなど様々な分野で日本は南米各国との貿易に依存しており、南米大陸の不安定化は日本経済にも多大な影響を与えかねない。

本書では、南米各国の近代政治や経済、歴史というマクロ的な観点と、現地で人々が何を考え、どう行動しているのかというミクロ的な視点を組み合わせることで南米大陸の抱える課題や現状を描き出そうと試みている。地理的にも心情的にも日本から遠く、理解が難しい南米大陸だが、少しでも読者の理解に役立てば幸いである。

登場人物の年齢は原則として取材当時のもので、敬称は省略させてもらった。各国の通貨は取材当時のレートで換算している。

第1章

ベネズエラ

「21世紀の社会主義」の崩壊

VENEZUELA

CARIBBEAN SEA
カラカス
ククタ
ベネズエラ
VENEZUELA
人口：2,819万人
GDP：595億ドル
出所：IMF、世界銀行
（2021年時点）
パカライマ
コロンビア
COLOMBIA
ブラジル
BRAZIL

「この子、かわいいでしょ。あんた、どう思う?」——2019年9月。ベネズエラの首都カラカス近郊の空港の通関で荷物の検査を受けていると、荷物検査官の若い女性の肩越しに、先輩と思われる少し年配の女性が話しかけてきた。

30度を超える高温にも関わらず、空調は一切動いていない。20代前半に見える検査官の女性は汗をぬぐいながら、黙々と私のスーツケースに入っていた衣服をひとつずつ手にとって中身を確認している。不自然なほどゆっくりした動きの間、「先輩」はカリブ訛りのスペイン語で一方的にまくし立てる。「ベネズエラほど美人が多い国はないわよ」「ここに来る中国人は多いけど、日本人はめずらしいわね」「この子、パートナーを探しているの」

要領を得ない会話をしばらく交わした後、どうやら買春を持ちかけられているということに気がついた。慌てて断ると、「先輩」はつまらなそうな顔をして去って行った。残された検査官の女性は肩をすくめながらスーツケースに入っていたチョコレート菓子を指さし、「私、チョコレートが好きなの」と悪戯っぽくねだった。菓子の価格は約2ドル(約216円)。彼女の1カ月分の給料に相当するという。そう言われて、断れるはずがなかった。

彼女とて、好き好んで初対面の日本人に体を売ろうと思ったわけではないだろう。ハイパーインフレで経済が崩壊状態にあるベネズエラでは、税関の職員という公的な立場だろうが、外貨を稼がないと生活が成り立たないという現実があった。出鼻をくじかれ、釈然としない気持ちで検査を通り抜けて後ろを振り返ったが、女性はまた2人組になり、私の次の男性客に「商談」を持ちかけていた。照りつけるようなまぶしい日差しと、国の入り口で堂々と売春が行われているというコントラスト。ベネズエラという国の現状を物語っているようだった。

食糧配給を受け取れない人たち

独裁政権、ハイパーインフレ、クーデター未遂……おどろおどろしい言葉とセットになったベネズエラだが、世界最大の原油埋蔵量を誇る同国はかつて中南米で最も豊かな国と呼ばれ、栄華を誇った。カラカス市内に張りめぐらされた高速道路は1950年代に完成し、当時、敗戦後で発展途上国だった日本が参考にしたという逸話もある。

空港で喰らった衝撃が覚めやらぬ中、高速道路に乗ってカラカスの市街地に近づくと、かつての栄華を思わせる高層ビル群が目前に迫ってくる。しかし、近づいてみると、当時から時計が止まったかのようだ。どのビルも古くなり、外壁はくすんでいる。目抜き通りですら、シャッターを下ろしたままの店も多い。故障したまま放置された信号機を前に、渋滞した自動車が車列をつくり、クラクションを鳴らしていた。

自動車を降りて道を歩く。市内の中心部だというのに、1本路地に入ると、ボロボロのTシャツを着た若者たちが集まり、路上に置かれたゴミ袋をあさっていた。飲食店から廃棄されたゴミのうち、腐っていないものを探して飢えをしのぐためだ。飲食店の従業員がゴミ袋

ゴミをあさる市民

を置くと、数名の若者が一斉に集まって袋を開いていた。

思わず目を背けたくなるような光景だが、これもベネズエラの日常だ。取材に同行した現地のジャーナリスト、カルロス・カマチョは「20年前はこんな光景見たことがない。今の政権がすべてを壊した」と呟いた。

ベネズエラのマドゥロ大統領は「我が国に飢えはない」と述べ、ベネズエラの惨状を伝える報道はベネズエラに悪い印象を持たせるために米国が仕掛けた「フェイクニュース」だと主張する。２０１９年2月には、米国のスペイン語放送局ユニビジョンの取材班がインタビューに応じたマドゥロに対し、取材前に撮影したゴミ収集車から食べ物をあさっている若者達の映像を見せて感想を聞いたが、取材班全員が拘束され、国外退去させられた。

ベネズエラ政府はCLAPと呼ばれる食料配給プログラムを実施している。マドゥロはすべての国民が政府からCLAPを受け取っており、飢えの心配はないと主張する。「21世紀の社会主義」を標榜するベネズエラ政府にとって、食料配給は目玉政策だ。弱肉強食の資本主義国より優れていると国民に示すためにも、絶対に譲れない一線となっている。

言うまでもなく、ベネズエラ政府の主張は現実からかけ離れている虚偽であることは自明だ。カラカス市内の「バリオ」と呼ばれる貧困街の廃ビルで暮らしている33歳のエウヘイロ・ウガスは「ここには食料どころか、水すらない」と嘆く。最後にCLAPが届いたのは3～4カ月前で、ここ数週間、肉や魚などのたんぱく質は口にしていないという。

エウヘイロは闇市場で仕入れたタバコやパンなどを路上で売って暮らしているが、月の稼ぎは50ドル程度。一見、月給2ドルの公務員よりも恵まれているようにも見えるが、食糧配給抜きではその日暮らしの、生きるためにギリギリの線だ。国外に脱出しようにも、当座の資金すら事欠く状況と言える。エウヘイロが住む廃ビルには50人程度が身を寄せて暮らしていたが、誰一人、CLAPは受け取っていないという。

隣の部屋に住む、小さい子ども3人を抱える家をのぞくと、ジャガイモをおかずに、水でふやかした米を準備していた。食事は1日に1食。3人の子どもたちは年齢に比べ明らかに小さく、やせ細っていた。取材中、生まれて初めて見るアジア人に興奮して抱きついてきた4歳の末っ子はやつれており、サンパウロで暮らす私の子どもと同い年だと思えないほど軽

廃ビルで暮らす貧困層

かった。

政府は食料を配給していると言い、国民は受け取っていないという。矛盾しているように見えるが、答えは単純だ。マドゥロ政権は食料を配る世帯を選別しているのだ。

インフラは荒廃し、貧困街では水道が止まり、山からの湧き水で暮らしている人々がいる。一方、数キロメートル離れただけのカラカス中心部では小型スピーカーから音楽を流しながら、友人たちと昼から宴会を楽しんでいる人々がいた。テーブルの一角に座る60歳のグスタボ・ロドリゲスは「15日ごとにCLAPを受け取っているから、生活に困ることはない」とビール瓶を片手に余裕の表情で話す。

ローカルのテレビ局でジャーナリストとして働くグスタボはベネズエラの現状について

「石油を狙う米国が仕掛けた経済戦争だ」と力説する。隣のテーブルでグラスを傾けていた66歳のウンベルト・マルケスは呼応するように、リュックから次々と食料を取り出した。パスタ、コメ、牛乳、油……すべて政府からの配給だ。「政府が国民の面倒を見てくれる、そんな国が世界のどこにある？　日本は豊かな国だろうが、真似できないだろう」と嬉しそうだ。ハイパーインフレが進む中、現地通貨のボリバルソベラノ（Bs）の価値は紙くずのようになっており、ウンベルトの月給はドル換算で2ドル程度にすぎない。それでも、政府の食料配給や現金支給があるため、十分に暮らせるという。「今は戦争中だ、我々は戦いを止めない」と誇らしげに語る彼らは、政府から食料などを受け取ることができない国民を「米国の操り人形を支援する、愚かな奴らだ」と切り捨てる。

「祖国カード」という監視ツール

政府に忠誠を誓い、政権に役立つと認められれば生活に困ることはなく、野党を支持すれば食料配給をはじめとした公共サービスから排除される――。これがベネズエラにおける民主主義の現状だ。

カラカス中心部に位置する、ベネズエラを代表する名門病院でもあるベネズエラ中央大学病院。病棟には診察を希望する患者が長蛇の列を作り、建物の外にはみ出していた。列の先頭に立っていた48歳の女性は「朝の6時から4時間並んでいるが、いつ順番がくるのかわからない」とため息をつく。心臓に病を抱える高齢の父のために診断のアポを取るべく、2時間かけて西部バレンシアからやってきたが、待ちぼうけを食らっているという。列に並んでいる人たちは皆、同じような境遇だ。医療資材や医療従事者の手も限られる中、優先されるのはコネか金を持っている人々であり、持たざる者はいつくるかわからない順番をじっと耐えて待つ必要がある。建前上、すべてが平等であることを謳う社会であるにも関わらず、命の扱いすら平等でない。

病院の中庭をのぞくと、トラックの荷台から大きなビニール袋を降ろしている人たちがいた。袋の中身は政府配給の食料品だ。周囲を取り囲むように、白衣や手術着を着た人々が人だかりをつくっていた。貧しい患者を放置して、医師や看護師が自分たちの食料を受け取りに来ていたのだ。食料が入った袋を両手に抱えて談笑しながら歩く医師らの姿を、列に並んでいる病人や家族たちが羨ましそうに眺めていた。平等からほど遠いグロテスクな光景だが、異を唱えるものは誰もいない。

そもそも、どうやってベネズエラ政府は国民の意思を監視し、食料配給などをコントロールしているのか。その謎を解く鍵が、「カルネット・デ・パトリア（祖国カード）」と呼ばれる身分証明書だ。表面にQRコードと持ち主の顔写真が印刷されているもので、電子マネーとしても使うことができる。政府からの現金支給などはここに振り込まれるほか、家族や資産、医療履歴などが記録される。日本のマイナンバーカードよりもよほど先進的で使い勝手がよさそうだが、独裁国家の国民監視ツールとして、これほど醜悪な制度はない。

祖国カードが最も有効活用されたのが、２０１８年５月に実施された大統領選だった。再選を目指すマドゥロは自身の支配下にある選管当局や司法を使い、有力野党指導者の出馬を阻止。主要野党がボイコットを呼びかける中、当て馬として出馬したのは全国的に無名の存在であるヘンリ・ファルコン前ララ州知事だった。そもそも欧米諸国の選挙監視団が派遣されておらず、公平性の欠片もない選挙だったため、「マドゥロが圧倒的な民意によって再選された」という大勝を演出するために担がれたことは明らかだった。実際、ファルコンの選対事務所を取材したが、選挙中だというのに弛緩した空気が漂っており、スタッフの誰一人として本気で当選を信じている様子はなかった。

マドゥロ側の支持者も当選が確実視されている選挙に対してやる気はなく、投票直前の大規模集会は地方から大型バスで無理矢理動員された人々が気だるそうに座っていた。ステージの上では反米思想で知られるアルゼンチンの伝説のサッカー選手、ディエゴ・マラドーナが登場し、マドゥロへの投票を呼びかけていたが、盛り上がっているのはステージ前の一部だけで、会場には終始、しらけた雰囲気が漂っていた。

緩んだ空気は投票所でも同様だった。カラカス市内の投票所のそばには与党・統一社会党（ＰＳＵＶ）の職員がテントを構え、投票を終えた人の祖国カードのＱＲコードをスマートフォンで読み取り、実際にマドゥロに投票していたかどうかを確認していた。椅子に座った職

投票結果を管理する与党の職員たち

員がダラダラと確認作業をする間、確認されている人は所在なさげに突っ立っていた。匿名を条件に話を聞くと、与党は地区ごとに投票率を確認しており、政権への支持が少ない地区は食料配給を止めると脅されていたという。

外国人の記者である私が写真を撮っても、職員たちは平然としていた。マドゥロが選挙前に「国民の義務を果たした者にのみ臨時ボーナスが配られる」と明言したこともあり、投票の秘密という民主主義の根幹を無視し、国民の投票行動をコントロールすることに疑問すら持っていないようだった。こうしたなりふり構わない政策が奏功し、マドゥロは得票率67・8%と、20・9%のファルコンに大差をつけて「当選」した。

中国・ロシア・キューバが支える政権

祖国カードを基盤とした国民監視システムの背後にいるのは、強権国家の中国だ。システム開発を請け負ったのは同国を代表する通信機器企業である中興通訊（ZTE）。トランプ米政権が安全保障上の脅威として経済制裁を実施したいわくつきの企業で、米下院諜報委員会は「中国共産党や人民解放軍と密接な関わりを持っている」と指摘している。

私がカラカスで取材した在ベネズエラの外交筋は匿名を条件に「中国政府は官民一体でマドゥロ政権を支えている」と語った。米国上院外交委員会が20年に公開した報告書では、中国企業が開発した顔認証技術などもベネズエラ国民の監視に使われていることが明らかにされている。通信機器大手の華為技術（ファーウェイ）や監視カメラ世界最大手の杭州海康威視数字技術（ハイクビジョン）など、米国から経済制裁を受けている中国企業はいずれもベネズエラ内で大きな存在感を放つ。

中国と並び、ロシアもベネズエラ政府の後ろ盾となっている。ロシアのプーチン大統領は経済力や軍事力で劣る欧米に対抗するため、世界各地で米国と対立する国を支援していた。距離的に米国の目と鼻の先にありながら反米を国是として掲げるベネズエラは、ロシアにとっても重要な「パートナー」だった。

当時、日本経済新聞のモスクワ支局長だった古川英治はプーチンの外交について、軍事・

経済力による「ハードパワー」、文化や価値観に基づく「ソフトパワー」に劣る国の戦略として、「ダーク（闇）パワー」と呼んだ。ベネズエラが反米国家として中南米地域に存在し続けることは、のどに刺さった小骨のように米国の外交上の懸念として残り続ける。ロシアはダークパワーを駆使するため、陰に陽にベネズエラを支援し続けた。ベネズエラ産の原油の売り先がないとわかればロシアが代理購入し、ベネズエラ国営企業には融資で資金繰りを助けた。軍事面でも、定期的にロシア軍を派遣することでマドゥロ政権を支えた。もっとも、プーチンにとって支援は慈善事業ではない。原油の購入代金は市場価格より安く抑えられ、ベネズエラ軍はロシア製の兵器の購入を強いられた。

カリブ海に浮かぶ反米国家、キューバもベネズエラ政府を支え続けた。そもそもベネズエラ政府が掲げる反米思想や社会主義思想の原点はキューバ革命だ。ベネズエラ政府はキューバを率いるカストロ兄弟を慕い、米国の制裁で万年経済難のキューバに対し、原油をただ同然で提供し続けた。自国民が飢える中でも、キューバへの経済支援は欠かさなかった。

表向き、キューバ側はベネズエラに対して医師を派遣することで医療や福祉の改善を支援したとされるが、実態はそれだけではない。軍高官や諜報機関の幹部も派遣し、反政府主義者のあぶり出しや拷問など、ベネズエラ政府の統治にはキューバ政府が伝統的に用いる手段が使われた。

表向きには民主主義国家を標榜しながら、専制主義国家である中国やロシア、キューバの支援を受け、自分たちに都合の良い国民だけを厚遇し、そうでない国民が飢えようとも知らぬ顔をする。それが貧困を撲滅すると謳って誕生した、21世紀の社会主義の成れの果てだ。

「熱帯のドラゴン」

なぜ、世界有数の資源国であるベネズエラでこのような惨状が起きているのか。同国の近代史を紐解く上で欠かせない最重要人物が第53代大統領、ウゴ・チャベスだ。反米左派の闘士として「熱帯のドラゴン」と呼ばれたチャベスは類い希なるカリスマ性を持ち、情熱的な演説でも知られた。2006年の国連総会では米国のブッシュ大統領を「悪魔」と呼び、イラクやアフガニスタンで紛争を起こしたブッシュ政権の外交について「米国が押しつけようとする民主主義は失敗した民主主義だ」と痛烈に批判した姿は、中南米の枠を超え、世界中の反米主義者の間で今もなお伝説として語り継がれている。

1999年に大統領に就任し、在任中の2013年に死去したチャベスほど、評価が分かれる政治家も少ないだろう。民主主義国家だったベネズエラの独裁化を招き、経済が崩壊する引き金をひいたという声もあれば、民主主義にのっとって政権交代を果たし、これまでひと握りの富裕層や企業が独占していた石油の富を国民に分配し高成長を実現したと評価する声もある。

死去から9年がたっても、ベネズエラ政府の支持者は「チャベスタ（チャベス信奉者）」と呼ばれる。政権支持者の集会で掲げられるのはチャベスの肖像画であり、チャベスの像だ。マドゥロの影は薄い。独裁者として君臨するマドゥロですら、今もなおチャベスの幻影を追っていると評される。希代のポピュリストであるチャベスの強烈なカリスマ性は死してなお輝きを失うことなく、現在に至るベネズエラの迷走の原動力となっている。

チャベスという強烈なカリスマを持つ人物からベネズエラという国を紐解くため、時計の針を少し戻したい。ベネズエラ政府が自国の歴史を振り返る時、必ず触れるのが1992年と1999年だ。99年はチャベスの大統領就任という左派政権にとって輝かしい転換点である一方、92年はクーデター失敗という挫折の歴史だが、専門家の間では、むしろチャベスのカリスマ性の源泉はこの失敗にこそあると指摘する向きも多い。

当時のベネズエラは1958年の民政移管以降、約40年にわたって続いていた中道左派と中道右派の二大政党制のまっただ中にあった。ブラジルやアルゼンチンなど中南米の周辺国のように軍事政権が誕生することもなく、安定した政治体制と評価される一方、中南米につきものの汚職や貧困が社会問題として横たわっていた。

当時のペレス政権は対外債務の削減を理由に公共料金やガソリン料金の値上げといった緊縮策を実施。1989年には、大規模な反政府デモが発生し、軍の鎮圧により多数の死者が発生するという不安定な状況を招いていた。こうした状況下、ペレス政権を打倒すべく、立ち上がったのが陸軍中佐のチャベスだ。仲間の裏切りもあり、クーデターは広がりを欠いたますぐに鎮圧されたが、チャベスはテレビの敗北演説で「責任は自分にある」と、全責任を受け入れた。その潔い姿勢は多くの国民に鮮烈な印象を与えた。

チャベスは後にチリのジャーナリスト、マルタ・ハーネッカーの取材に対し、革命が失敗した理由について「大衆のいない、水のない魚のような反乱だった」と振り返る。しかし、敗北演説を機に、チャベスの存在はベネズエラ国民の中で大きくなっていった。2年間にわたる投獄生活を経て武装闘争路線を放棄し、政治家を目指すことになるチャベスだが、その間、無名の軍人から、変革を期待する国民の声を一身に背負う指導者となった。テレビ演説の際にかぶっていた赤いベレー帽は選挙活動のシンボルとなった。クーデターの失敗という挫折をきっかけにチャベスは全国的に知名度を上げ、大衆という水を得た魚として、ベネズエラ全土を縦横無尽に泳ぎ回ることとなった。

チャベスの「ボリバル革命」

政治指導者となったチャベスは、既存体制を否定することに全力を注いだ。当時のベネズエラはひと握りのエリートが国や経済を支配する構造だった。

１９８９年の日本経済新聞では、ペレス政権の顔ぶれについて「閣僚は35歳の新進経済学者、ロドリゲス調整企画相を筆頭に全員が博士号所有者というエリート集団」と報じている。現在にも通じるが、裕福な家庭に育った者が恵まれた教育を受け、欧米に留学して凱旋帰国し、若いうちから国や大企業を指揮する要職に就くというのはベネズエラに限らず、南米ではありふれた光景だ。一方、貧しい家庭に生まれた人間が上の階層に上がることはほとんどない。貧困街で生まれた人間は、貧困のまま一生を終える。同じ国に住んでいながら、権力のインナーサークルの内側にいる人間と、外側にいる一般国民の人生が交わることはない。

ラテンアメリカ協会の専務理事を歴任し、1988年から4年間三菱商事の社員としてベネズエラに駐在していた工藤章は当時のベネズエラについて、「素晴らしく近代的な国で、良い思い出しかない」と回想する。洗練されたカラカスの町並みは経済が不安定で貧しかった南米の周辺国とは比べものにならず、比較対照は米国のマイアミだった。

日本を代表する一流企業の三菱商事の社員といえども、カラカスの一流ホテルは「高すぎて泊まれず、出張のたびに宿探しに苦労した」という。市中心部には高級レストランが立ち並び、中南米ではめずらしく、治安も夜中に歩いても問題無いレベルだった。当時のベネズエラには日本企業も多く進出しており、多額の利益をもたらす収益源となっていた。当時を知る商社マンや外交官は誰もが目を細め、古き良き時代のベネズエラを懐かしむ。

しかし、原油価格の下落により経済が曲がり角を迎え、対外債務の膨張といった財政問題が発生すると、巨大な社会格差という負の側面が露わになった。世界銀行によると、選挙があった1998年の貧困率は49%。国民の半数が貧困にあえいでいた計算だ。時代が違うため単純比較はできないものの、政府と反政府武装勢力タリバンとの交戦で不安定な状態が続いていたアフガニスタン（54・5％、2016年）と近い数字であることを思えば、国民がチャベスの唱える「革命」を求めるまでに、貧富の格差は無視できないところまで進んでいた事実が浮かび上がる。

貧富の格差を示すジニ係数（1に近いほど不平等）は0・48と、社会不安の警戒水域といわれる0・4を大きく上回り、失業率は14・5％、インフレ率は年率23・6％と、いずれも政情不安を招きかねない水準だった。対外債務問題に伴う緊縮財政や原油価格の下落に伴い景気は低迷。あおりを食らったのは、その日暮らしの低所得者層だった。ベネズエラの歴史を紹介する際、「豊かな国をチャベスが破壊した」といった言説がまことしやかに流れるが、そんな単純な構図ではないことは明白だ。

国民の間で不満のマグマがたまっていた時に現れたのがチャベスだった。政界や大企業を率いるエリート集団に対する国民の反発心をチャベスは弁舌巧みに煽った。かつて欧州の植民地支配からベネズエラを解放した歴史上の英雄、シモン・ボリバルに自分を重ね合わせ、自らの目指す社会づくりを「ボリバル革命」と呼んだ。生活が苦しい中、既得権益を敵に回し、すべてをひっくり返す「革命」を叫んだチャベスの姿勢は、持たざる者である大多数の国民の心を掴んだ。

クーデター失敗から6年後の1998年の大統領選で、チャベスは56％の得票を得て当選した。これは過去40年間の選挙で最多得票率だった。対抗馬として出馬した元カラボボ州知事のエンリケ・サラスは米イェール大への留学経験もあるエリート。富裕層や財界を支持基盤とし、選挙終盤には二大政党が呉越同舟でともに支持に回ったが、「エリートＶＳ大衆」という構図に持ち込まれた時点で、勝ち目はなかった。結果、チャベスに大差をつけられて敗北した。

クーデター失敗という逆境を糧に、徒手空拳で既得権益の岩盤をこじ開けたチャベスを、国民は熱狂的に支持し、１票を投じた。当時の日本経済新聞はチャベス当選を「当面外資による投資の手控えなどの動きが表面化する可能性もある」「演説上手な人気取り型の政治家の典型」と報じている。海外メディアとしては平均的な書きぶりだっただろう。しかし、こうしたメディアや企業の懸念がチャベスを支持する人々に届くことはなかった。むしろ、上から目線の「助言」は人々の反発心を煽り、燃料となった可能性すらある。熱狂の先に待つのが破綻だと理解していた者は、少数派だった。

原油価格の高騰という追い風

１９９９年に政権についたチャベスが真っ先に行ったのが、制憲議会の制定に伴う憲法の改正だった。上院と下院に分かれていた議会を１院にすることで意思決定を迅速にし、国民投票を通じて国民の政治参加を促すという理念は、現在の独裁政権の姿からはほど遠いものだ。民主的な枠組みの中での革命という取り組みは、国民の支持を受けて着実に進んだかのように見えた。

もっとも、国会を軽視する強権的な手法や、かつての既得権益を無視した急進的な改革には反発も大きかった。2002年には国営石油会社（PDVSA）の幹部人事への介入をきっかけに大規模なゼネストが起こり、国軍幹部や財界首脳による反乱でチャベスは一時的に失脚、幽閉される憂き目にあった。財界団体の会長が反政権派の国軍上層部の支持も得て超法規的に暫定政権の樹立を宣誓するという事態も発生した。

憲法の裏付けがないことから暫定政権が国民の支持を得られず、チャベスはほどなく復権したものの、ゼネストや公務員のサボタージュは続き、支持率は低迷していた。反乱から8カ月後となる同年クリスマスの日本経済新聞は「ベネズエラ経済、混迷、原油生産低下続く――スト収拾つかず」と報じている。大衆のために立ち上がったチャベスの「革命」は、風前の灯だった。

官僚組織や経済界からはそっぽを向かれ、軍からも離反が相次ぎ、地方自治体の首長も離れていった。既得権益のぶ厚い壁に阻まれた当時について、強気な発言で知られるチャベスですら「私が想像していた以上に難しい」とこぼすほどだった。この間、かつて熱狂的に新政権や新憲法を歓迎したベネズエラ国民の感情は冷え込んでいた。

崖っぷちにあったチャベスだったが、ベネズエラの運命の転換点となる「神風」が吹く。ベネズエラの最大の輸出品である、原油価格の高騰だ。中国に代表される新興国の経済発展に伴う需要の急増に中東の政治不安、投機マネーの流入といった要素が加わり、2002年以降、原油価格は歴史的な上昇相場を記録した。

原油の代表的な国際指標であるニューヨークのWTI先物相場は02年に1バレル26・15ドル（年平均）だったが、03年に30・99ドル、04年は3割増の41・47ドル、05年は56・7ドルと、3年で2倍以上になった。08年の99・75ドルまで、右肩上がりで上昇していった。世界最大級の原油埋蔵量を誇るベネズエラだが、その多くはオリノコ川流域の超重質油で、精製のためには複雑な工程を要する。商用化に向けてコストがかさむことが問題だったが、原油価格の高騰により、採算に乗るようになった。2000年代とは原油を掘るだけで歳入が自動で増えていくという、産油国にとっては夢のような時代だった。選挙で約束した政策実現のための原資が手に入り、希代のポピュリスト、チャベスが本領を発揮していくことになる。

貧困改善という功績

原油価格の高騰という千載一遇の追い風を受け、チャベスが取り組んだのが分配策だ。「システマ・ナシオナル・デ・ミシオン」と呼ばれる社会福祉政策では、市民の権利を向上させる目的で、低所得者の住む地域向けに医療サービスを提供したほか、教育分野では子どもたちのみならず、これまで学校に通えずに文字が読めなかった大人も対象に読み書きを教えた。食糧配給や公共住宅の建設はもちろんのこと、生活に必要なものはすべて政府が用意するといわんばかりの政策は、国際通貨基金（ＩＭＦ）の支援の下で緊縮財政を敷いていたチャベス政権発足前とは１８０度の方針転換だ。今まで政治から見捨てられていたと感じていた低所得者層は熱狂した。

２０１８年の大統領選の取材中、マドゥロの選挙集会を取材していると、一人の男性が話しかけてきた。祖国カードと与党ＰＳＵＶの党員証を誇らしげに見せてくれた57歳のホセ・フランクリンは熱狂的なチャビスタの一人だった。見慣れぬアジア人の記者がうろついているのを見て、ついひと言もの申したくなったらしい。

「海外メディアは今の政権を悪く言うが、俺は昔、屋根のある家に住んだことはなかった。今は政府が建ててくれた家に住み、食料ももらえる。これがベネズエラの真実だ」。長引く経済低迷でタクシー運転手として生計は立たなくなったものの、大統領選を前に規定の3倍の量の食品配給を受け、最低賃金の半年分にあたるボーナスを手に入れたという。淡々とした口ぶりながら、心の底から左派政権を称賛していることが伝わってきた。

カラカスでの取材中、こちらが外国から来た記者だとわかると一方的にチャベス時代の栄光を熱く語ってくるベネズエラ人はフランクリンだけではなかった。足を引きずりながら、チャベス以前の生活を「地獄だった」と振り返る男性もいた。社会保障が整備されていない南米では、障害を抱えた貧しい人間が暮らしていくのは難しい。貧困層での生活を余儀なくされていた市民にとって、チャベスは人間としての尊厳を与えた、神に等しい存在だ。現在の経済がどんなに低迷しようとも、その功績が色あせることがないと考える人々は多い。チャベスの肖像画をタトゥーとして自らの体に残すような狂信的な支持者が多いことからも、その崇拝ぶりはうかがい知れるだろう。

データの上でも、貧困改善という観点でチャベスの功績の大きさは一目瞭然だ。チャベス政権発足時の1999年、全人口に占める極度の貧困にあった人口の比率は23・4％だったが、11年には8・5％まで減少。一方、一人あたりGDPは4133ドルから12年の1万2693ドルへと、約3倍に増加した。失業率や乳児死亡率を含め、ほとんどの指標が改善している。短期間の間に貧困を削減し、国民の所得を底上げするという実績は世界的に見ても稀有で、一部のベネズエラ国民の信仰にも近いチャベス人気の理由はこの実績に起因する。チャベスは「アロ、プレジデンテ（こんにちは、大統領）」という自らが出演する冠番組を毎週日曜日に放映し、自らの実績を国民に直接誇示することも忘れなかった。

もっとも、これらの高成長が実態の伴わない砂上の楼閣であったことは、現在の破綻状態にあるベネズエラを見れば明らかだ。ミシオンに代表される社会福祉政策は国家予算だけでなく、国営石油会社からの資金提供によって実現されていた。文字通り、原油輸出で得た富を国民にバラまいていたわけだ。

1998年の大統領選で初当選後、チャベスは2000年、06年、12年の3度の大統領選に現職として出馬し、いずれも当選している。これは国民の歓心を得るための大盤振る舞い

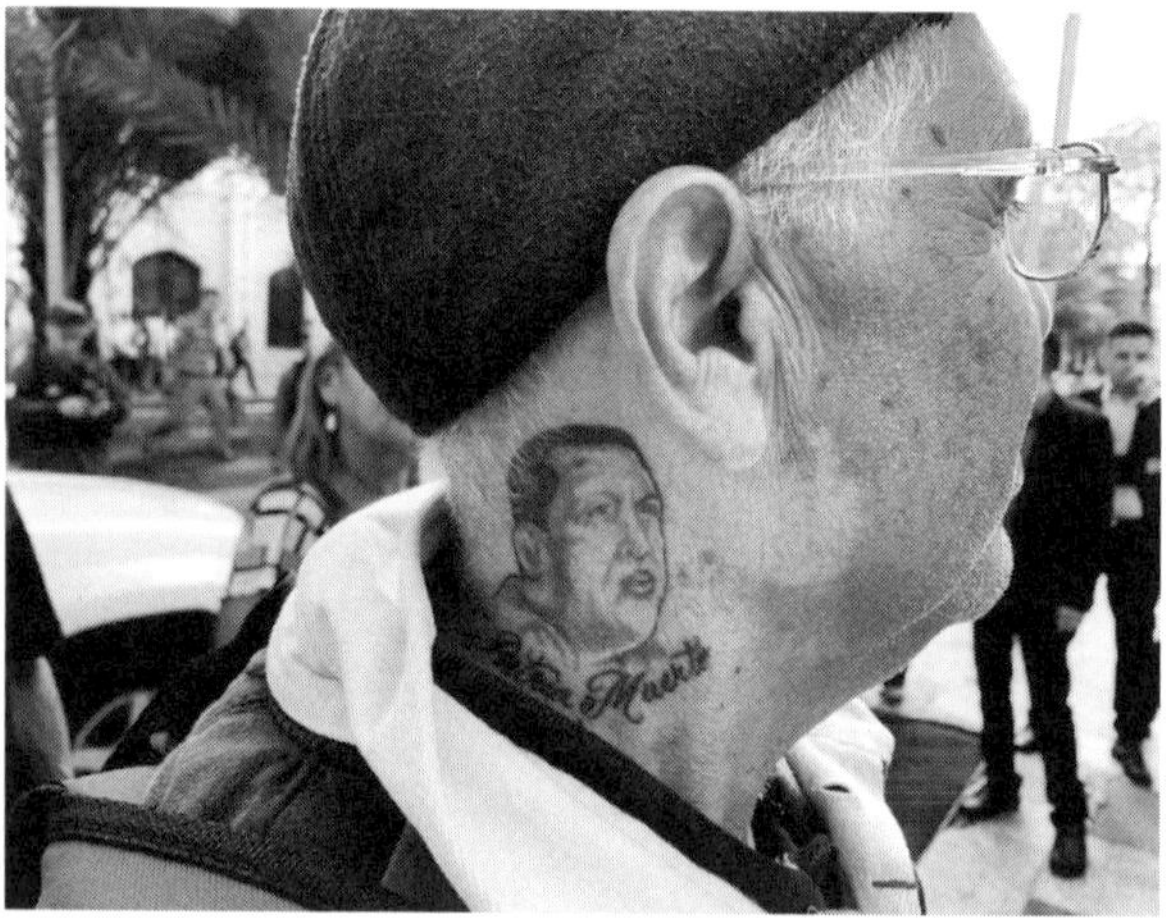

チャベスのタトゥーを入れたチャビスタ

が選挙対策として有効であったことを示す。「金で票を買う」という、南米大陸にはびこる左派ポピュリズムの典型的な手法だ。問題は、原油高という一時的なあぶく銭を次世代を担う産業の育成などの将来のための投資ではなく、自らの権力維持のために浪費したということだ。13年にチャベスが癌で死去した後、こうしたゆがみは一気に噴出する。

国営石油会社PDVSA

ここで、ベネズエラ経済を語る上で欠かせない存在である、国営石油会社PDVSAについて紹介したい。多くの産油国では、国営企業が原油をはじめとした天然資源の権益を差配し、国の経済や財政に大きな貢献をする。時価総額が一時世界最大となったサウジアラビアのサウジアラムコや、ロシアのプーチン大統領を経済面で支えるロスネフチやガスプロムが有名だが、ベネズエラにおけるPDVSAの存在感もこれらに勝るとも劣らない。

PDVSAはベネズエラにとって最大の輸出品であり外貨獲得手段である、原油の採掘や輸出を手掛ける巨大企業だ。チャベス政権の目玉政策である社会福祉の費用の大半を同社が負担していたことは前述の通り。政府が株主となっている国営会社とはいえ、企業が国民の福利厚生に介入すること自体、異常事態であることは語るまでもない。しかし、チャベス政権下のベネズエラでは誰も異を唱えることなく、国を代表する名門企業は政府の都合のいい財布として使われ続けた。

PDVSAと取り引きのあった日本企業の社員はチャベス政権誕生により、会社の性質そのものが変質したと振り返る。「かつては米国の大学院を出ていた最先端のエンジニアがビジネスパートナーだったのに、突如業界の基本ルールすら知らない素人がやってきた」。こうした声は枚挙にいとまがない。かつて40以上の職級を備え、能力主義でエリートを養成してきた企業風土は跡形もなく消え去り、留学経験者で占められていた経営幹部のポジションはチャベスに忠誠を尽くす政治家や軍人などの論功行賞の材料として使われた。人気取りのための目先のばらまきを優先するため、将来を見越した設備投資は凍結されるなど、経済合理性を欠いた意思決定が続けられた。

チャベスの矛先が向かったのは自国企業だけではない。2007年にはオリノコ川流域で

左派政権発足後、原油生産量は２割に

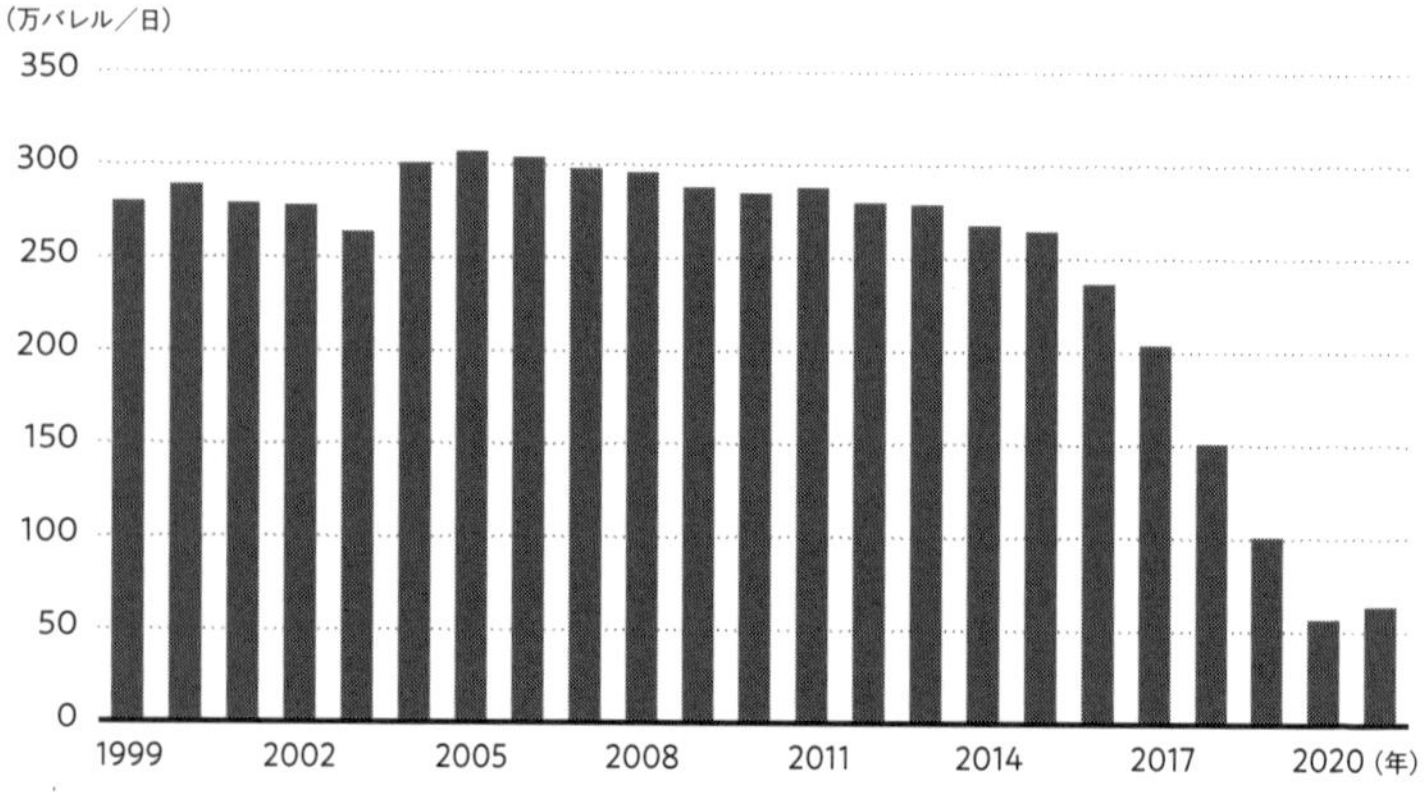

出所）OPEC

操業していた米エクソンモービルをはじめとした海外企業が参加しているプロジェクトについて、一方的に国有化を宣言。国の資源を自分たちで独占しようという資源ナショナリズムを前面に押し出した。海外資本が次々と撤退し、愛想を尽かした技術者が海外に流出したことにより、長年蓄積されてきたノウハウは霧散。製油施設は原油流出や爆発などの事故を頻繁に起こすようになった。原油価格の高騰で覆い隠されていたが、チャベス政権の誕生後、原油産出量は減少し続けた。ＯＰＥＣ（石油輸出国機構）によると、21年の原油生産量は日量６４００００バレル。チャベス政権発足時の約２割の水準だ。資源大国としての面影はどこにもない。

癌による突然の終結

国にはびこる貧困を削減し、格差を是正したというチャベスの華々しい功績の陰で、原油高に依存した経済はゆがみを隠しきれなくなっていた。チャベス在任中のインフレ率は年平均23％を記録。財政赤字を顧みることない「大きな政府」路線を維持しつつも歳入は資源頼みといういびつな経済構造で通貨の信任が得られる訳がない。政府は固定レート制の導入で通貨安を抑えようとしたが、歴史上の多くの教訓に違わず、市場原理を無視した強引な通貨政策は失敗に終わる。通貨安に伴う輸入物価の上昇でインフレが起こるという経済構造が恒常化していた。

政府は生活必需品の価格統制を企業に命じたが、採算に合わない経済活動に応じる企業は多くはない。結果として生活必需品が不足し、さらに物価が上がるという悪循環が起こっていた。各種経済指標が改善しているにも関わらず、強盗や誘拐が多発し、国内の治安は悪化の一途をたどった。

こうした中、国民の間でもチャベスに対する猜疑心が徐々に高まりつつあった。2007年には大統領の権限を大幅に強化し、任期を延ばしたり無制限の再選を可能にしたりする憲法改正案を提案したが、僅差ながら国民投票で否決された。12年の大統領選ではチャベスの得票率は55％にとどまり、得票差はわずか11ポイント程度だった。これまで、対立候補に20

ポイント以上の差をつけて大勝してきたカリスマの余裕はなくなっていた。当選演説でチャベスは「我々はベネズエラの民主主義が世界で最も優れた民主主義であることを示すことができた」と強調したが、資源を売った金で票を買う、チャベス流のポピュリズムが限界を迎えつつあったことは明らかだった。

経済・政治とも行き詰まりが隠しきれなくなり、チャベス時代の終わりの始まりが意識される中、13年3月5日に終幕は突然訪れた。チャベスが死去したのだ。もともと癌《がん》を抱えていたことを公言していたとはいえ、つい5カ月前の大統領選で当選したばかりだった。

カリスマの死去に、ベネズエラという国は揺れた。就任から14年かけ、チャベスは絶対的なカリスマである自身がいないと回らないようなシステムをつくってしまったのだ。米ニューヨークタイムズは同日、長文記事でチャベス時代のベネズエラについてこう評した。「彼は21世紀初頭の市場経済ではほとんどの人が考えられなかったことを実現した。自分の神話を信じているような、意思が強く、気まぐれな一人の人物を中心とした統治構造だ」。死去から3日後に行われた国葬では、30カ国以上の友好国の首脳が見守る中、200万人もの群衆がチャベスのひつぎをひと目見ようとカラカスを訪れ、号泣しながら別れを惜しんだ。その後に待っているのが、泥沼の混乱状態だということに気づく国民は多くはなかった。

民主的な選挙によって選ばれ、ベネズエラという国の構造そのものを作り替えた男は、同国経済や民主主義の崩壊を見届けることなく、この世を後にした。

２０１３年選挙、僅差でマドゥロに

チャベスの急死を受け、前回選挙からわずか半年後の２０１３年4月に再び大統領選が実施された。生前のチャベスから後継者として指名され、与党から出馬したのは副大統領だったニコラス・マドゥロ。元バスの運転手で労働組合の闘士という経歴からわかるとおり、かつてのベネズエラを支配していたエリート街道からは大きく外れた人選だ。１９９２年のクーデターに失敗し投獄されたチャベスに心酔し、服役中のチャベスに接近したことから側近として取り立てられた。

国会議長や外相、副大統領と要職を重ねたにも関わらず、マドゥロの能力を評価する声はほとんど聞こえない。ベネズエラで働いた経験もある欧州の外交官はマドゥロについて、「チャベスが評価したのは忠誠心だけだ」と腐す。チャベスが求めていたのは自身が進めた路線を変えないことだけであり、その適任者として選ばれたのがマドゥロだった。

２０１２年の選挙で勝利したとはいえ、チャベスというカリスマを失った与党は苦戦を強いられた。同年のインフレ率は約20％。政府が現金をばらまいても、そのぶん商品価格が上がるため、市民は豊かさを実感しにくくなっていた。与党関係者に汚職がはびこる一方で治安も悪化しており、与党の強権的な姿勢に対する反感も強くなっていた。

左派政権誕生後、最大の逆風が吹き荒れる中、マドゥロが採った選挙戦略はチャベスの威光を最大限に利用するというものだった。選挙演説では「私はチャベスの息子だ」と繰り返し叫ぶことで市民の情に訴えかけ、チャベスの進めた反米左派路線からの転換を主張する対抗馬のエンリケ・カプリレスの追い上げを「ベネズエラの民主主義を標的にした、国際的な陰謀だ」と一方的に断罪。討論にも応じないまま、野党が勝てばチャベスが導入した社会福祉制度が撤廃されると吹聴して市民の恐怖心を煽った。

事前の世論調査ではチャベスの弔い合戦としてマドゥロ有利とみられていた大統領選だが、選挙終盤にかけて野党陣営が追い上げ、歴史的な大接戦に。最終的にマドゥロが50・62％、カプリレスが49・12％と、僅差でマドゥロが当選した。得票数の差はわずか22万票。マドゥロの推進するチャベス路線が信任を得たかたちとなったが、半数近い国民がチャベスの掲げる「21世紀の社会主義」に懐疑的な視線を向けていることが明らかになった選挙だった。

ベネズエラの近代政治史を振り返る上で、この13年の選挙が大きな転換点だったと指摘する声は多い。持続不可能だったばらまきに頼ったベネズエラ経済の行き詰まりは明らかで、現実と向き合う最後のチャンスだった。しかし、ベネズエラ国民はチャベス路線の継続を選んだ。約半数の、路線転換を望む声が顧みられることはなかった。

資源バブルの崩壊

チャベス政権が実現した高成長や福祉の充実、格差解消といった実績が原油価格の高騰というマクロ的な要素に支えられていたことはこれまでに何度か紹介した通りだ。中国の高成長や投機マネーの流入背景で上昇が続いた原油価格は２００８年の金融危機で一時落ち込んだものの、その後リバウンド。11年から14年にかけて１バレル＝90ドル台を維持した。12年と13年の大統領選で与党が勝利したのも、原油高を背景としたばらまき攻勢が効いたことは想像にたやすい。

しかし、宴の終わりは突然訪れた。中国経済の減速や米国のシェール革命により、14年7月に１バレル＝１０２・39ドルだった原油価格はズルズルと下がり続け、16年2月の30・62ドルまで下値を切り下げ続けた。俗に言う、資源バブルの崩壊だ。

世界銀行や国連などが運営するデータベースＷＩＴＳによると、マドゥロが政権を継承した13年の時点で、原油など「燃料」が輸出全体に占める割合は97・7％。同年のサウジアラビアが85・８％であることを考えると、いかに異常な数字かはわかるだろう。チャベス政権下で世界最大級の原油埋蔵量の上にあぐらをかき、他の産業の育成を無視してきたことがわかる。

大黒柱でありほぼ唯一の外貨獲得源である原油価格が3分の1になったことで、ベネズエラ経済は大混乱に陥った。２０１４年の経済成長率はマイナス３・９％、15年はマイナス６・２％に達した。もともと赤字体質だった財政収支が2桁％の赤字を記録する中、資本の海外流出が加速した。マドゥロ政権は民心をつなぎとめるためにばらまきを続けたが、原油安で原資がない中、紙幣の発行を増やしたため市中の資金供給量が増え、通貨の価値が下落。日用品から食料品までほとんどを輸入に頼る中、通貨安により海外からの輸入は高コストとなり、インフレが加速するという教科書通りの展開が始まった。

絶対的な権力を持つ支配者の多くがそうであるように、チャベスは耳に痛い言葉を言う人間を遠ざけ、自らに忠誠を誓う人間を側近として重用した。経済面でも、欧米の大学で学んだ経済学者は傍流に追いやられ、軍人や電気技師などの素人が経済や財政政策を統括するというありさまだった。チャベスの後を継いだマドゥロ政権も同様に、破綻が見えていた経済政策を愚直に推進した。

チャベスやマドゥロの経済政策の基本は「経済現象はすべてコントロールできる」という思想だ。インフレが問題になれば価格統制により企業に対し値上げを禁じ、品不足には増産を命令。通貨安懸念に対しては為替管理で相場を操縦するといった具合で、国家の介入であらゆる事象を解決しようと試みた。

しかし、大日本帝国やソビエト連邦の例を出すまでもなく、統制経済が成功した例は歴史上ほとんどない。政権がいくら旗を振ろうが、採算割れでの生産を命じられた企業は赤字を抑えるために生産規模を縮小し、物不足によるさらなるインフレを招いた。為替相場も、政府が実態とかけ離れた公定レートを用意したところで、自ら好んで不利なレートで両替する市民はいない。信用力のない自国通貨をドルに替えるための闇相場が発達し、市民がこぞって自国通貨を見捨てたため、通貨安は加速した。インフレと通貨安が負の循環を続ける中、経済は悪化が続いた。ベネズエラ経済が音を立てて崩れ始めたことは誰の目にも明らかだったが、マドゥロ政権はチャベスの敷いたレールから軌道修正できないまま、破滅へのスピードは加速していく。

チャベス路線に固執するマドゥロ政権

原油価格の急落をきっかけに、長い夢から覚めたベネズエラ国民を待っていたのは厳しい現実だった。2015年の物価上昇率は年率180%となり、中でも食品や飲料は315%に上昇。政府が現金をばらまき、最低賃金を上げても物価上昇に追いつかず、市民の可処分所得は減り続けた。品不足が続く中、スーパーの行列は日常風景となった。

米ピュー・リサーチ・センターが同年12月に発表した世論調査によると、「何が大きな問題か」という質問に対し、92%の国民が物価上昇、85%が就業機会の欠如、84%が日用品の不足を挙げた。国の現状に満足していると答えたのはわずかに14%で、不満足という回答は85%を記録した。チャベスの弔い合戦ということでマドゥロを選んだベネズエラ国民だったが、日々の生活が苦しくなる中、既に我慢の限界にきていた。

こうした中、マドゥロ政権への不満をぶつける機会が15年12月に訪れた。国会議員選挙だ。これまで国会では与党PSUVが過半数を握っていたが、政権の批判票の受け皿として、野党連合が躍進。全167議席中、野党が109議席を獲得した。AP通信は「地滑り的な勝利だ」と報じた。支持率低下に焦るマドゥロは政府の影響下にある司法を通じ、選挙の3カ月前に野党指導者であるレオポルド・ロペスに暴力的な反政府デモを扇動したとして禁錮13年の判決を下したが、こうした強情な態度も国民の怒りを買った。投票率も74％と高く、与党にとって完敗といえる内容だった。

ベネズエラは大統領の任期が6年と長いが、独立した国会の選挙を挟むことで国民の審判を仰ぐ仕組みになっている。国会議員選で国民からノーを突きつけられたマドゥロには、チャベス路線の継続と、方針の転換という2つの選択肢があった。原油価格の下落でチャベス路線の限界があらわになり、民心も離れる中、軌道修正は不可避かのように見えた。しかし、ここでマドゥロが選んだのは現状維持だった。そもそも、国民からの人気もないマドゥロにとって、チャベスの威光にしがみつく以外の選択肢は用意されていなかった。

16年1月、マドゥロは緊急事態宣言を発令。「我々はまさに暴風雨に直面している。非常事態宣言は国民全員のための計画だ」と演説し、大統領の権限を強化すると示した。民間企業に生産拡大を要請して物不足を解消するほか、為替管理の締め付けで通貨安を抑えて経済を回復させるという内容で、これまで失敗続きだった国家主導による経済再建策に固執するという宣言にほかならない。絵に描いた餅であることは既に誰もがわかっていたが、マドゥロの否定はチャベス路線の否定につながるため、表だって異論を唱える人間は政権内にいなかった。

マドゥロの「暴走」は経済政策にとどまらなかった。野党が多数を占める国会がマドゥロ政権の進める政策の修正を求めると「狂ったように法律をつくっている」と発言し、国会を公然と無視するようになる。野党が大統領の罷免の是非を問う国民投票の発議を呼びかける国民投票をはじめると、これを「クーデター」と呼び、非難を強めた。5月には米国政府が野党と組み政権転覆を計画していると主張。「国を守るためにあらゆるシナリオに対して準備せよ」と号令をかけた。

投票という形で国民から負託を受けた野党議員が大統領の暴走にブレーキをかけるのは民主主義では当たり前の手続きだが、チャベスの反米思想を受け継ぎ先鋭化させたマドゥロにとって、政権を脅かすものはすべて「米帝国主義の手先」となり、受け入れられないものだった。この頃から、ベネズエラ政府は民主主義のルールを公然と無視し自らの権力維持を優先するようになる。

選挙で審判を下したにも関わらず、経済を立て直すことなく権力に固執するマドゥロ政権とベネズエラ国民の亀裂は決定的なものになる。大統領の罷免を問う国民投票を実施するための署名は、発議に必要な全国有権者の1%以上（約20万人）を大きく上回った。政府は署名に参加した公務員を解雇すると脅したが、多数の公務員が署名に応じたとされ、既に内部から崩壊しつつあるように見えた。

こうした中、マドゥロ政権はなりふり構わぬ姿勢を見せるようになる。政府の影響下にある選挙管理当局は10月、署名に不正があったとして、国民投票は実施しないと発表した。過去の選挙に選挙監視団を派遣してきた米州機構（ＯＡＳ）のルイス・アルマグロ事務総長は「独裁者のみが市民の権利を否定し、法を無視し、政治犯を収監する」と、異例となる強い口調の非難声明を発表した。かつて変革を求める民意によって誕生した左派政権だが、17年にわたる支配は権力を腐敗させるには十分だった。既にベネズエラの民主主義は風前のともしびとなっていた。

一段と進む強権化

選挙で敗れたにも関わらず方針を曲げることなく、国民の声に耳を傾けないマドゥロ政権に対し、野党陣営は大規模デモで政権に圧力をかけ続けた。中でも２０１６年10月の反政府デモは数十万人の市民が街頭を埋め尽くし、マドゥロに退陣を迫った。同年の経済成長率はマイナス17％。マドゥロがテレビ演説で「すべての人民が平和を保って対話に臨み、法を尊重するよう呼びかける」と話しても、耳を貸す国民は一部の熱心なチャビスタのみだった。

反政府デモが激しくなる一方、マドゥロ政権は民主主義を否定するような行動を次々と繰り出し、独裁色を強めていく。17年3月には政権の影響下にある最高裁を使い、野党が多数を占める国会の機能を停止。国際社会からの批判を受けて後に撤回したが、4月には過去2

回大統領選に出馬し、国民からの人気も高い野党指導者カプリレスの政治資格を停止した。1年後に大統領選が迫る中、選挙で勝てる見込みが薄いとみて、野党を弾圧する方向に舵を切った。

大規模デモに対する弾圧も強くなる。4月のデモではマドゥロは「テロリストのクーデターを解体する」と述べ、軍や警察に鎮圧を命令。装甲車や兵士が市民に対して催涙弾やゴム弾を発射し、デモ隊が投石や火焔瓶で応酬するという暴力の連鎖が始まった。その後、政権は実弾を使った狙撃部隊や民兵組織を動員。個人によるガスマスクや救急医療セットの輸入を禁じるなど、デモ隊に対する圧力を強める。死者の数が積み上がるようになっていった。

状況の悪化に応じるように、政権はたがが外れたように強権姿勢を強めていく。5月、マドゥロは憲法の改正手続きに入るとして、制憲議会を招集すると発表した。野党が過半数を占め、目の上のたんこぶとなっている国会を無力化することが目的となっていることは誰の目にも明らかだった。野党陣営は憲法改正の是非を問う非公式の「国民投票」を実施し、国内外のベネズエラ人から700万人以上にわたる反対票を獲得したが、独裁へと突き進むマドゥロ政権が顧みることはなかった。

7月に実施された制憲議会選は表向き公正な選挙の体裁をとっているものの、政府が事前に職業や居住地域ごとに候補者を選抜しており、マドゥロ政権に批判的な意見を排除する仕組みとなっていた。野党がボイコットする中、与党PSUVが全545議席を獲得した。

法を無視した強権的な手法を批判するのは、政治的に対立する米国だけではない。欧州連合（EU）の欧州委員会は「暴力的な環境で選ばれた制憲議会は解決の手段になり得ない」として、選挙の正統性そのものを否定した。選挙に電子投票システムを提供した英スマートマティックは制憲議会選の結果を受け、「投票結果は改ざんされており、少なくとも100万票は実際の結果とは差異がある」と発表した。選管当局は800万人以上が投票したと発表しており、野党陣営が事前に実施した「国民投票」の700万人を上回るために数字を改ざんしたとみられる。もっとも、「海外からの侵略に対抗するため」という大義名分を掲げるマドゥロ政権は、あらゆる批判を馬耳東風で受け流した。「我々の選挙史上最大の投票だ」と誇るマドゥロの言葉だけが、むなしく響いた。

制憲議会発足後のベネズエラ政府の動きは速かった。8月に制憲議会が発足すると、1日もたたないうちに、政権に批判的だったルイサ・オルテガ検事総長を罷免し、マドゥロと近い人間を後任に充てた。オルテガは後に亡命し、「マドゥロや政権幹部が大規模な汚職に関わっており、自身を守るために憲法や法を侵害した」と海外に訴えたが、後の祭りだった。

次に、制憲議会は野党が多数派の国会から立法権などの権限を剥奪したと宣言。野党を無力化した。司法、行政に続き立法まで大統領が手中に収めることで、事実上の独裁体制を築いたかたちだ。

既に、ベネズエラが民主主義国家でなくなったことは誰の目にも明らかだった。10月に実施された統一地方選知事選では、地元メディアの世論調査で全23州のうち20州で野党側の候補者が支持を多く集めていたが、ふたを開けてみると、23州のうち18州で与党候補が勝利した。票が操作されていることは明らかだったが、欧米など国際社会からの選挙監視団の派遣を受け入れておらず、疑惑を解明する術がないまま、与党の勝利という結果だけが残った。

権力掌握という点ではこの世の春を謳歌していたマドゥロだったが、経済の崩壊は加速していく。米国政府は8月、ＰＤＶＳＡが発行する債券や新規借り入れへの関与を禁じる経済制裁を発動し、米金融市場から締め出した。反米を掲げながら、ベネズエラにとって最大の原油の輸出先は米国だ。ＰＤＶＳＡにとっても、ウォール街からの資金調達は事業運営で欠かせないものだった。資金繰りに窮する中、ロシアや中国など後ろ盾になっていた国への債務返済も滞るようになる。当然、新規投資に回せる資金はなく、原油採掘量は目減りしていく。

並行するように経済は悪化の一途をたどる。17年1月に年率19％だった物価上昇率は2月には42％、3月には66％と月を追うごとに右肩上がりで上昇。10月には８００％を超えた。かつてワイマール共和国やジンバブエで見られた、ハイパーインフレーションの始まりだ。最低賃金を2倍に増やすと政権がばらまきをアピールしても、物価がそれ以上のペースで上昇するのでは市民にとって意味がない。もはや通常の生活を営むことすら難しくなり、多くのベネズエラ人が着のみ着のままで国を見捨てて逃げ出す事態がはじまった。

国境の町ククタのリアル

当時、ベネズエラ発の難民増加がひと目でわかるホットスポットとしてひそかに注目を集めつつあったのが、ベネズエラ西部のコロンビアとの国境だった。祖国を見限り、陸路で国外脱出を企てるベネズエラ人が増えているという話を聞き、9月にコロンビア北部の田舎町、ククタを訪れた。

「もう限界。食料も仕事もない国に未来はない」。コロンビアの入国管理局の建物の前で4人の子どもと地べたに座り込むクリスティアン・モラ（36）はスーツケースの山を前に、ため息交じりで話す。経済混乱により、大工としての仕事は数カ月ない。配給が滞り子どもたちがやせ細るなか、移住を決断した。

ベネズエラとコロンビアは川で国境を接しており、橋をわたるだけで国境をまたぐことができる。陸路での国境脱出を目指す人々にとり、ククタは脱出口になっていた。入国管理局では常時、数百人が順番を待つ。人口約66万人のククタにとり、数万人単位で訪れる難民の影響は小さくない。市中心部では子連れの物乞いがうろつき、信号前では自動車が停車するたびにストリートパフォーマーや窓ふき、物売りが押し寄せる。彼らの多くは着のみ着のままで逃げてきたベネズエラ人だ。

国境近くで南米各国への長距離バスを手配するコロンビア人のルイス・レイバ（48）は

「エクアドルやペルー、チリに行く金のない人がコロンビアにとどまる」と明かす。医者やエンジニアら高スキル人材は既に脱出済みで、親戚も財産も持たない人たちが最後のよりどころとするのがククタだ。

難民の供給過剰により、窓ふきの賃金相場は1日20000ペソ（約760円）と3カ月前の半分に下落。行き詰まった難民が麻薬販売や強盗を手掛けるケースが増えた。地元メディアによると、強盗や窃盗で検挙されたベネズエラ人は前年比で倍以上に増加、市内で起きた犯罪の3割に関与しているという。

取材を終えてホテルに戻ろうとタクシーに乗ると、運転手が「ベネズエラ人のことを知りたいなら、絶対に行ったほうが良い」と、あるクラブの場所を教えてくれた。ベネズエラ人女性が集まる売春宿だという。金を払って女性を抱いたくらいでその国のことをわかるなら記者の商売あがったりだ、と思わず苦笑したが、身体を売って生活せざるを得ない彼女たちが置かれている状況に興味が湧き、訪れることにした。

どこに連れて行かれるのかと少し緊張したが、タクシーがたどり着いたのは、市の中心部。飲食店や商店が軒を連ねる一角にある、何の変哲もない建物だった。あっけないほど地味な外観とは裏腹に、ドア1枚隔てると無法の別世界だ。大音量の音楽が鳴り響く中、ピンク色の壁紙をミラーボールのまばゆい光が怪しく照らしていた。ソファとテーブルが並べられた空間で、ビール瓶を傾ける男性が女性をはべらせて談笑している。日本の場末のキャバクラを想像してもらえばわかりやすいだろうか。ひとつ違うのは、壁にかけられた大画面のテレビが男女の局部をアップにした無修正ビデオの映像を繰り返し流していることと、店の奥にある小部屋に「商談」が成立した男女が向かうことだ。小部屋のドアの隙間からは、シーツの上に白いタオルが雑然と置いてある、粗末なベッドが見えた。

ソファに座ると、金髪で身長170センチメートルはあろうかという、モデル体形の金髪の女性が接客についた。アジア人を見るのは生まれて初めてだという。年齢は自称20歳。開口いちばん、価格交渉をはじめたので、自分は記者で、セックスではなく会話をしたいと申し出たところ、手を叩いて大笑いしていた。そんな客は初めてだという。

ベネズエラの経済が崩壊し生活どころではなくなったので、数カ月前に友人とコロンビアに来たという。しかし手に職もない外国人がやっていけるわけもなく、ククタを拠点にしたベネズエラ人コミュニティに所属し、売春宿で地元客を取って暮らしているとのことだ。「クスリを売っている友だちもいるよ、欲しかったら紹介しようか?」と言いながら、ケタケタと大笑いしていた。終始陽気に笑っていたものの、荒れた肌や染まりきっていない髪の根元からは、過酷な生活が垣間見えた。「明るいラテンのノリ」で括るには少し異常なテンションで、彼女自身も薬物を摂取しているのではと思わせるような言動も見られた。

取材を終え、ホテルに戻る途中、タクシーの運転手がつぶやいた。「薬物も犯罪も、全部ベネズエラ人が持ってくる。どうしようもない」。ククタ市議会は8月、一時的な国境閉鎖の要求を決議。人道を理由に不法移民の滞在を認めてきたコロンビア政府だが、国境の入国管理の強化を発表した。町の失業率は約16％と、国の平均約10％を大きく上回る。ベネズエラの政情不安は国という枠を超え、南米地域の不安要素となりつつあった。

相次ぐ外資の撤退、違法な操業

事実上の独裁体制を確立したにも関わらず、経済は行き詰まりが明らかで、ベネズエラ政府は対外債務すら払えない状況が続いていた。11月、金融派生商品の業界団体である国際スワップ・デリバティブズ協会（ＩＳＤＡ）は、ベネズエラ政府とＰＤＶＳＡについて、利払い遅延を理由に債券がデフォルト（債務不履行）状態にあると認定した。12月の時点で、物価上昇率は年率２６００％を超えていた。

マドゥロ政権の経済政策は迷走を続ける。マドゥロは２０１８年2月、同国独自の仮想通貨「ペトロ」を発行すると発表した。当時、世界的にビットコインが流行しており、仮想通貨業界では派生的に「草コイン」がつぎつぎと誕生。価値の裏付けがない仮想通貨が富を生み出すバブルを外貨獲得の手段として利用しようと狙ったものだ。世界最大級の原油を担保にするとしており、マドゥロは「世界で初めて天然資源に保証された仮想通貨を発行した」と誇らしげに語った。

しかし、ハイパーインフレでデフォルト状態にある国の発行する仮想通貨を信用する投資家がいるはずもない。世界の仮想通貨交換所でペトロは取り引きされず、仮想通貨で外貨を獲得するという計画は頓挫した。

混乱に収束が見えない中、外資系企業はつぎつぎとベネズエラを見捨てていく。食品世界大手の米ケロッグは5月、ベネズエラの工場を閉鎖すると発表した。首都カラカス近郊の工場でシリアル食品などを製造していたが、経済混乱により、工場の稼働率が低迷していた。同業のゼネラル・ミルズや日用品メーカーのキンバリークラーク、自動車大手のゼネラル・モーターズなど、多くの企業が既にベネズエラを去っていた。

言うまでもなく、企業の撤退は雇用の喪失につながるため、政府としては痛手だ。そのため、多くの国では補助金やビジネス環境の整備で海外企業を引き留める。しかし、経済は政府がコントロールすべきものだという認識を持った左派政権にとって、こういった正攻法が選択肢にあがることはない。マドゥロ政権はGMやケロッグの撤退は憲法違反だとして、工場を接収。国営企業として操業を続けた。

部品不足から自動車生産は継続できなかったもようだが、ほどなくして、カラカスのスーパーには国営企業ケロッグ・ソシアリスタ（社会主義者）によるシリアル製品が出回るようになった。パッケージの正面には、ケロッグのロゴが堂々と使われた。私的財産や知的財産を完全に無視しており、国際的にも到底認められない行為だが、既に民主主義を否定し独裁体制を築いたベネズエラ政府が海外企業からのクレームでブレーキを踏むことはなかった。

970,000,000ボリバルの値段

物価上昇率は年率2万4000%を超え、多くの国民が海外に脱出する中、2018年5月に大統領選が実施された。前述したとおり、野党の主要候補は政権の妨害により出馬すらできず、選挙監視団はロシアやキューバなど反米の友好国が中心。先の制憲議会選や統一地方選知事選で投票結果を操作していたという「実績」もあり、選挙前からマドゥロの再選が確定している茶番だった。大統領選そのものに興味はなかったが、折角の機会なので、カラカス市内を実際に取材することにした。

「1カ月働いても牛肉1パックも買えない。うちの子どもはもう何カ月も牛乳を飲んでいない」。選挙前日の5月19日。快晴の土曜日にもかかわらず、32歳のジェニー・ジェペスは朝からいらだっていた。極度の物不足により、ベネズエラの多くのスーパーでは入場制限を実施。朝から数時間並んでも、なにも手に入らないことが日常茶飯事だ。私も1時間ほど取材を兼ねて並んでみたが、スーパーの入り口から外に続く長蛇の列はほとんど動かなかった。

店員との交渉により、スーパーの内部も見せてもらったが、精肉コーナーの冷蔵ケースは空の状態で、電源も入っていない。肉や魚はまったく手に入らない状況だという。政府が価格統制で値上げを禁じたことで、商売が成り立たなくなっているためだ。それでも、市民は小麦粉や野菜を求め、強い日差しの中、じっと順番を待っていた。

スーパーの棚から食品が消えた

行列ができているのはスーパーだけではない。「何時間待てばいいんだ。俺の金を返してくれ」。街中では、銀行の前にも人だかりがあった。ハイパーインフレに紙幣の印刷が追いつかず、口座に預金があっても引き出せない状況だという。預金者が行員と口論する様子は、かつて歴史の授業で学んだ、昭和恐慌時の取り付け騒ぎを思い起こす。

「1カ月で価格が2倍になる状況が続いており、もはや誰も政府や通貨を信用していない」。カラカス滞在中に取材したエコノミスト、ヘアン・ポールはこう指摘する。ハイパーインフレであらゆる商品の値札にはゼロが並び、家電量販店で販売する液晶テレビは9億7000万Bsと、天文学的数字をたたき出す。コーヒー1杯飲むのにも札束が必要な状況下、デビットカードやスマホを使った送金が主な決済手段となるキャッシュレス化が急速に進んでおり、私がベネズエラ滞在中、現金に触れる機会はほとんどなかった。

カラカス市内の幹線道路には原油輸出で潤った往時を思わせるように、世界中の自動車メーカーのディーラーが軒を連ねる。しかし、どの店舗もショーウインドーの中は空っぽで、がらんどうの空間が広がっていた。平日でもシャッターを閉めた店が多く、かつての繁栄が幻のようだ。

物不足は広範な産業に影響を及ぼす。カラカス市内の地下鉄の駅では、人々が何も持たずに改札を通過していく。インクや紙といった物資がないため切符を発券できず、無料で鉄道を開放していたためだ。

ハイパーインフレはこの後、さらに加速。携帯電話が数十億Bsという価格を記録する中、マドゥロ政権は通貨のケタを5ケタ切り下げるデノミを実施したが、焼け石に水でしかなく、2019年1月には年率268万%を記録する。

なにもかもが破綻している状況だが、ベネズエラのメディアが事実を伝えることはなかった。チャベスは自身に批判的なテレビ局を閉鎖させるなど反政府的なメディアを弾圧したため、多くのメディアはマドゥロ政権の発足後も政権に都合の悪い報道は控え、ひたすら政府を礼賛しながら経済苦境はすべて米国の仕掛けた経済戦争のせいだとする大本営発表を垂れ流した。

カラカスでの取材で訪れた日刊紙エル・ナシオナルは政府に目をつけられた1社だ。75年の歴史を誇る新聞だが、政府に批判的な論調だったため、嫌がらせで紙やインクの輸入を止められた。大統領選直前だというのに社内に熱気はなく、電灯もほとんどついていない編集フロアの一画で細々と編集会議を行っていた。フロアの大半は空席で、ほとんどの机がほこりをかぶっていた。「普通の取材をしているだけなのに、テロリストとして逮捕されるリスクがある」「数年前は300人の記者がいたが、みんな海外に出て行ってしまった」。記者や編集者たちは口々に、もの悲しそうに語る。同年12月、ナシオナルは廃刊を決めた。地元メディアが報じることはなくとも、ベネズエラ全土で品不足が解消されることはなく、難民としてベネズエラ国民が周辺国に流出する状況は加速していった。

各国が悩むベネズエラ難民

ベネズエラ難民の流入に悩んでいたのはコロンビアだけではない。2018年9月、エクアドルの首都キトに中南米13カ国の代表者が集まり、難民問題について話し合う会議が開催された。ベネズエラからは人口の1割に近い230万人が少なくとも流出したとされ、受け入れ側の限界が近づいていたためだ。

コロンビアの隣国であるエクアドルも当事者だ。コロンビアで職を見つけることができなかったベネズエラ人が、親戚や知人のツテをたどって南下する流れが生まれつつあったためだ。エクアドル北部、コロンビア国境でも難民が社会問題になっていると聞き、会議の合間を縫って現地取材に出かけた。

南米大陸とひと口にくくっても、その広大さは日本人には想像しにくい。陸路で何日もかけてコロンビアを横断するベネズエラ人がどれだけいるのかと、現地に着くまでは半信半疑だったが、コロンビアとエクアドルの国境では、数百人のベネズエラ難民が入国審査の順番を待つために地面に座っていた。ベネズエラ問題が国という枠を飛び越えつつある現実を突きつけられた。

国境の町、トゥルカンとベネズエラからの距離は約1400キロ。日本でいうと青森県から山口県までの距離に匹敵する。金を持たないベネズエラ避難民が飛行機など使えるはずもなく、長距離バスを乗り継いでやってきたのだ。その中で、ひと目で身ごもっているとわかる女性を見つけた。32歳のアナフリア・ベンコはベネズエラの医療環境での出産に身の危険を感じ、友人と国を出たという。しかし、外国人の妊婦が簡単に仕事と住む場所を見つけられるはずがない。「10日かけてコロンビアを横断してきた」と力なく話す。周囲を見渡すと、子連れや高齢者などの姿も散見された。弱い立場の人間ほど、あてもないまま長距離の移動を強いられるという現実があった。

国境沿いのレストランで取材内容をノートにまとめていると、ベネズエラなまりのスペイン語を話すウェイターが話しかけてきた。妻と共にベネズエラを出て、エクアドルで生活再建のために土日もなく週7日働いているという。給料は現地の最低賃金を大きく下回る日給10ドル（約1100円）。こうした非合法のベネズエラ人労働者がほかの中南米諸国でも増え、賃金相場を下げるということも深刻な問題となっていた。妊婦や疾患持ちのベネズエラ人が大挙して周辺国に押し寄せることで、受け入れ側の医療がパンクするという事態も発生した。ブラジル北部では、増加するベネズエラ人の妊婦に産院が対応しきれないほか、風疹などの感染症をベネズエラ人が持ち込むといった問題が生じ、反移民感情からベネズエラ人の住むキャンプが地元住民から焼き打ちされるといった凄惨な事態が発生した。

一方、ベネズエラ政府はこうした状況に我関せずといった態度を崩さない。副大統領のデルシー・ロドリゲスは難民の流出について「フェイクニュースだ」と切り捨て、まともに取り合わなかった。既に食糧配給を支持者のみに限定し、去る者追わずという方針を決めたことで、国民が重荷になりつつあったためだ。かつて「貧民のための政治」を掲げて政権を奪取したチャベスの弟子たちは、自らの権力を維持するため、いちばん弱い立場の市民を切り捨てることを選んだ。

米国によるシナリオ――グアイド暫定大統領

経済が崩壊状態の中、数百万人の国民が国を見捨てて海外に逃れる――。戦争や内戦が起こっていない国としては異常な状況が続く一方、マドゥロ政権は三権と軍を掌握し、盤石な体制を築いていた。2019年1月、マドゥロは前年5月の大統領選で「再選」を果たしたとして、2期目の就任式に登壇した。「憲法にのっとり、民主的に選ばれた大統領として国を良い方向に連れて行く」。こう宣言するマドゥロの様子を報じるテレビ中継を、私はサンパウロの支局の机から、冷めた目で見ていた。どうせ何も変わらないだろう――。こうした見方は、当時の中南米専門家に共通していたように思う。

しかし、事態は急変する。就任式の翌日、世界中のメディアの視線は一人のベネズエラ人男性に注がれていた。南半球の真夏の季節にも関わらずスーツといういでたちのフアン・グアイドという男は国会議長を名のり、記者団を前に「マドゥロが強奪者であることは疑いない」と糾弾した。正統な選挙を経ていないマドゥロの2期目就任は憲法に違反しており、無効だと主張。憲法の規定に従って自身が暫定大統領に就任する意向を表明した。

これまで説明してきたとおり、ベネズエラの国会は野党が多数を占めているものの、すでにマドゥロを支持する制憲議会に立法の権限を剝奪されており、名ばかりの存在となっていた。就任式の数日前に国会議長交代のニュースが現地から流れていたが、野党連合が持ち回りで回しているポストという認識でしかなく、気にとめることもなかった。

この時点で、グアイドは野党の1議員にすぎず、ベネズエラウォッチャーにとっても有力指導者として目されている訳ではなかった。突如、暫定大統領を名乗るようになったグアイドとは何者なのか、この状況下で実際に何ができるというのか――。世界中のメディアの疑問に回答を与えたのはカリブ海を超えた先にある超大国、米国だった。後日、ペンス米副大統領はツイッターにスペイン語字幕付きの動画を公開。「マドゥロは独裁者であり、法的な権力を持っていない」と述べた後、野党が過半を占める国会について「あなたたちは国民に選ばれた唯一の存在であり、民主主義の最後の痕跡だ」と称賛。「米国はグアイド国会議長の勇敢な決断を支持する」と、お墨付きを与えた。

米国政府にとり、ベネズエラの反米左派政権はもともと目障りな存在だった。一方でチャベスもマドゥロも民主主義的な手続きで選ばれている以上、静観するしかなかった。しかし、野党を排除した大統領選を強行した時点で米国は一線を越えたと判断。野党陣営と水面下で連絡を取った上で、グアイドを「暫定大統領」とし反マドゥロの象徴に祭り上げ、ベネズエラ国民を扇動することで軍に離反を促し、無血クーデターによる政権交代を果たすという筋書きが明らかになった。

もっとも、このシナリオには粗さも目立つ。ベネズエラの憲法上、大統領と副大統領が不在の状況で国会議長が暫定大統領の役割を果たすことは可能だが、実際にマドゥロが権力を握っている中、「不正選挙だったから大統領の座は空白だ」と主張して国会議長が一足飛びに暫定大統領への就任を宣言するのは極めて恣意的な憲法解釈に基づくものだ。マドゥロ政権はもちろん、同政権を支援する中国やロシア、キューバがそんな強引なシナリオを認められるわけがない。

ロシアのプーチン大統領はマドゥロと電話会談し、「ロシア大統領はベネズエラの法的な権力者に対する支援を表明した」とする声明を発表。中国外務省の華春瑩副報道局長は「ベネズエラの国内問題に干渉することに反対する」として、米国をけん制した。欧米諸国のほか、ブラジルやコロンビアなど中南米の主要国が次々とグアイドを暫定大統領として承認する中、国際社会が二分された形となった。既に、ベネズエラの政治情勢は1国を超え、大国同士の外交紛争の最前線となっていた。

マドゥロ政権、退陣へ？

これまでマドゥロ政権の横暴に守勢一方の野党陣営だったが、米国というゲームチェンジャーの登場により息を吹き返し、攻勢に出るようになる。カラカスの大規模な反政府集会には連日のように数十万人の市民が集い、マドゥロ政権に退陣を迫った。グアイドが「私は（マドゥロ政権の）強奪を止めるため、正式に（暫定）大統領に就任する」と宣言すると、ドナルド・トランプ米大統領が「ベネズエラの民主主義を回復させるため、米国の経済・外交力を全力で使い続ける」と声明で応じ、市民の盛り上がりは過熱した。

ベネズエラ国内で反政府の動きが活発化する中、米政府は着々と外堀を埋めていく。トランプ政権は1月末、伝家の宝刀である経済制裁を発動。米国内にあるＰＤＶＳＡの資産を凍結した上で、米国企業に対し、ベネズエラ産の石油取り引きを禁じた。

反米を掲げていたベネズエラ政府だが、最大の輸出先は米国であるという矛盾を長年にわたり抱えてきた。PDVSAは米国にシトゴ・ペトロリアムという子会社を保有しており、ベネズエラで採掘された原油を精製し、現金化するという役割を担っていた。トランプ政権の制裁は、この急所を突いた。

米国の参戦により、マドゥロ政権を支えてきた面々からも離反が相次いだ。2月には空軍の少将が軍服姿で「軍の90%は独裁者でなく、国民の側に立っている」と述べてグアイド支持を表明する動画をSNSに投稿。軍高官や外交官が実名でマドゥロを批判し、野党陣営への協力を表明する例が相次いだ。かつてチャベス政権を支えた閣僚の中からも切り崩し政策に応じる人間が現れ、ヘクトル・ナバロ元教育相がマドゥロを「憲法の強奪者」と呼ぶなど、既にマドゥロ政権の足元は崩れつつあるかのように見えた。

海外からの圧力も日増しに強くなっていく。マドゥロはローマ法王フランシスコに仲裁を依頼したが、ローマ法王は「これまでの会談で約束されたことが実行されていない」として、拒否したことが明らかになった。手紙には宛先から「大統領」という肩書が外されており、国際的にマドゥロ政権の正統性は揺らいでいた。トランプは「私には優れた柔軟性があり、常にプランB、C、D、E、Fを持っている」と上機嫌に述べ、ベネズエラ情勢はほぼ解決済みだと余裕を見せるようになった。

野党陣営の呼びかけによりワシントンで開催された、ベネズエラの人道支援について協議する国際会議では、1億ドル（約110億円）を超える支援が集まった。グアイドは「我々の国に対する、国際的な人道援助の連携の構築を宣言する」として、マドゥロ政権が頼りにならない中、自らがベネズエラ国内の人道危機を解決すると国内外に宣言した。

マドゥロ政権が追いつめられていく中、ロシアのシルアノフ財務相からは「どの政権だとしても、ベネズエラはロシアへの債務履行を果たさなければならない」と、政権交代を前提としたような発言も出るように。中国政府が野党に接触したという情報も流れ、政府を支持する陣営内ですら、マドゥロ政権の退陣を前提に、政権交代後にどう振る舞うかを模索しつつあるのは明らかだった。

再び国境の町、ククタへ

ベネズエラの反米左派政権が誕生以来最大の危機を迎える中、勢いに乗る野党陣営は米国と歩調を合わせ、コロンビアとの国境地帯を闘争の場として定めた。かつて私が取材で訪れた、陸路でベネズエラからの脱出を試みる人々が集まる町、ククタだ。米国はククタに人道支援物資を山積みにし、グアイドは陸路でこれを搬入すると予告した。対するマドゥロは国境警備を強化し対抗。最前線の様子をひと目見ようと2月、ククタ行きの飛行機に飛び乗った。

ベネズエラとコロンビアを結ぶ、シモン・ボリバル橋。約1年半ぶりに訪れた橋は以前と変わらず、徒歩でコロンビアへ渡るベネズエラ人であふれかえっていた。「マドゥロ政権が倒れる前に、俺が倒れそうだ」。33歳のニヘル・セグラはため息交じりにこう話す。公務員として比較的恵まれた立場だったが、ハイパーインフレが進むにつれ食糧配給も滞るようになり、トランクに荷物を詰め、国外脱出を決めたという。

「ここに来れば無料で朝食と昼飯が食べられるからなんとか生きられる」。国連難民高等弁務官事務所（UNHCR）のテントが張られた炊き出し場所で、57歳のカルメン・ボコウルはこう話す。弁護士資格を持っているが、経済が破綻し無法状態の現在では仕事がなく、食事をとるために毎日のように日帰りでコロンビアに来ているという。これまでのククタでの取材で見かけたベネズエラ人に比べ、明らかに階層的に恵まれた人々ですら、食事を取れなくなっているという事実が一目瞭然だった。

また、炊き出し場で目に付いたのが、老人と幼児だ。自分の足で移動できる働き盛りの世代のベネズエラ人の多くは既に国を捨て、他国に渡ったという。「支援がなければ子どもたちは皆死んでいた」。笑顔で食事をかき込む痩せ細った子どものそばで、母親が涙ぐみながら話す。ベネズエラでは1日1食で暮らしていたという。

こうした状況にも関わらず、マドゥロは徹底抗戦の構えを見せた。「米国が人道支援を名目に軍事侵攻を狙っている」と主張し、コロンビアとベネズエラを結ぶ3本の橋のうち、主に物流に使われている橋を閉鎖。コンテナ2台とタンクローリー車1台を横並びに配置し、

炊き出しに並ぶベネズエラ人

物理的に物資を届けられないようにした。また、海上封鎖も実施し、近隣の島との海路を遮断した。自国民が飢えて痩せ細る中でさえ支援を拒否するというなりふり構わぬ姿勢は、権力への強い執着心の表れだった。

国境地帯のコロンビア側では、数百人のベネズエラ人が集まり、マドゥロに退陣を求めるデモを開催していた。「人道支援を受け入れろ！」「トランプ、私たちを見捨てないで！」――。こう書かれたプラカードを持つ人々にとり、米国の介入は絶望の中に現れたひと筋の光明だった。

「圧政の鎖を解き放った、勇敢な国民に栄光あれ。法はその徳義と栄誉をたたえる」。デモの終盤、どこからともなく、ベネズエラ国歌の合唱が始まった。かつてスペインの植民地支配からの脱却を祝う歌だったが、祖国から逃げ出したベネズエラ人にとっては、独裁政権の打倒を祈る歌となっている。夕暮れの中、目に涙をためた人々の合唱は終わることなく続き、広場に響きわたっていた。

振り出しに戻ったベネズエラ情勢

失政により生活が困窮する中、政権打倒を願う人々の声が国中に溢れ、ベネズエラの反政府運動の盛り上がりは最高潮となっていた。政権打倒は秒読みかのようにも見えたが、ベネズエラ政府を支えてきた軍は離脱者を出すものの、組織としてはマドゥロ政権を支え続けていた。

ベネズエラからコロンビアに逃れる人々が渡るシモン・ボリバル橋は橋の中央にフェンスが置かれており、両国の国境を示している。2月の取材中、コロンビアに押し寄せる人々に向けてカメラを回していると、警備に立っていた20代前半と思われる若いベネズエラ人兵士が「カメラをしまえ」とフェンス越しにつめ寄ってきた。コロンビア側での取材にベネズエラの法律は適用されないので無視しても構わなかったが、せっかくの機会なので話しかけてみた。

ちゃんと食べられているのか、国民からの反発は怖くないのか、このままマドゥロを支持し続けるのか――。脅しに質問で返してくるという予期せぬ反応に驚いたのか、若い兵士は少し待てと言い残して上官とみられる兵士ら3人を連れて戻ってきた。上官は「取材をするなら国境をまたいでベネズエラに来い」と、つっけんどんな対応だったが、最後にひと言、「おそらくお前らが期待しているような結果にはならない」と不敵に笑った。

正直、この時点ではマドゥロ側の劣勢は明らかだったので、上官の捨て台詞は負け惜しみだろうと考えていた。しかしほどなくして、彼が正しかったことがわかる。取材から1週間後、グアイドがコロンビアに入国し、人道支援物資を陸路でベネズエラに送ろうと試みたが、ベネズエラ軍は頑として受け付けず、兵士たちが体を張って支援物資を搭載したトラックの入国を阻止した。興奮状態の市民が投石や火焔瓶といった実力行使に出て、ベネズエラ軍側が催涙弾を使って対抗するなど衝突が発生、トラックが炎上したほか、死者が出る惨事となった。

綻び始めていたかのように見えていたマドゥロ政権だったが、野党の稚拙な行動により息を吹き返した。グアイドは4月、カラカスの空軍基地に軍人の集団とともに姿を現し、「権力の不当な侵害の終焉が始まった」とする動画を発表。全国の軍人に蜂起を呼びかけた。しかし、事前準備も根回しもないままのクーデターに呼応する軍人は一部にとどまり、不発に終わった。一時は国外への亡命も考えていたとされるマドゥロだが、事態が収束しはじめると「軍の指揮官らは人民に対する忠誠心を示した」とツイッターに投稿し、勝利宣言した。

支援物資の搬入阻止とクーデターの阻止により、野党陣営の勢いは完全に止まった。中でも痛手だったのが、野党指導者の保身姿勢があらわになったことだった。グアイドは人道支援の搬入でもクーデターの呼びかけでも、自ら陣頭指揮に立つことなく、少し顔を見せただけでその後は姿を隠し続けた。グアイドとともに立ち上がった野党指導者のレオポルド・ロペスはクーデターが失敗に終わると判断した瞬間、チリ大使館に保護を求めた。この後も、野党陣営の呼びかけで反政府デモが幾度となく繰り返され、政府側の弾圧で多数の死者が出たにも関わらずだ。グアイドは決して矢面に立たず、他人事のようにSNSで政府を批判するだけだった。また、状況が膠着し立ちゆかなくなった5月には、「もし米国が軍事介入を提案したら私は受け入れるだろう」と米国に軍事介入を求めるよう発言。仮にも暫定大統領を名のる人間が、政敵の支持基盤とはいえ自国の軍への攻撃を求めるなど前代未聞で、支持者からも批判を集めた。

中南米の指導者には、支持者を言葉や態度で鼓舞する能力が求められる。それはカリスマ性と言ってもよい。ツイッターでいくら雄弁に振る舞っても、肝心なときに姿を見せずに隠れたり逃げたりするような人間に、その役が務まるはずがない。かつてクーデターに失敗したときに「すべての責任は自分にある」と潔く罪をかぶったチャベスと対照的な、保身的で臆病な姿勢に、ベネズエラ国民は白けた。

後に明らかになったところ、野党陣営は軍を束ねるパドリノ国防相と裏で通じており、クーデターの成功はほぼ見えていた状況だったという。しかし、グアイドは自らの逮捕が近いという情報をつかみ、保身のために予定より早くクーデターを決行。足並みがそろわない中のドタバタ劇で軍内の支持が広がらなかったことを受け、パドリノは野党を見限り、再びマドゥロを支持する方向に転換した。

パドリノは後に「彼らは馬鹿げた申し出とともに私を買収しようとした」と述べ、買収を断ったとして、マドゥロに恩を売ることに成功した。米国の登場で大きく変わるかのように見えたベネズエラ情勢は再び振り出しに戻った。コロンビアとの国境沿いで、体制転換はないと私に予告した兵士が正しかったことが証明された。

国内支持者向けのポーズ

この頃からベネズエラ情勢のキープレーヤーがトランプとなり、必然的に私も米国のメディアや有識者に接触することが多くなった。ここで気になったのが、米国の「上から目線」だった。独裁体制を構築したマドゥロ政権の圧政に苦しむベネズエラ人を救うために米国政府が動く必要がある――。こうしたわかりやすい勧善懲悪のフレームはトランプ政権の戦略として米国メディアにもたびたび登場し、強引な介入手法を正当化させた。

私が日本人ということで一歩引いた立場から見ていることもあっただろうが、こうした米国の押しつけがましい姿勢は実態と合っていないと感じる場面も多かった。クーデターが失敗に終わった3月、ベネズエラで大規模な停電が発生した。水力発電所の整備不良によるもので、病院では集中治療室が機能不全に陥り、人工透析や人工呼吸が受けられない患者が多く亡くなった。最大の責任はマドゥロ政権にあることは確かだが、発電所の交換部品の輸入ができなくなったのは米国の経済制裁も一因だ。

国連人権高等弁務官事務所（ＯＨＣＨＲ）は同3月、マドゥロ政権の治安機関や民兵が、国民に対し殺害や拷問などの弾圧を加えていると指摘する報告書を公表した。報告書の中では、米国の制裁について「経済危機に追い打ちをかけ、基本的人権や福祉に対する抑圧になり得る」とも明記した。米国政府もトランプ政権から支援を受けている野党陣営も、こうした指摘を顧みることはなかった。

トランプはベネズエラ国民の手に民主主義を取り戻すために介入していると主張し、マドゥロは米国が石油資源を盗むために経済戦争を仕掛けていると反論する――。ベネズエラ情勢が混乱する中で幾度となく繰り返された光景だが、双方とも真意を語っていないことは明らかだ。

米国の中南米政策にも関与する米シンクタンク、インターアメリカン・ダイアログのマイケル・シフター代表は私の取材に対し、「ベネズエラ情勢を通じ、トランプ大統領は人権や民主主義に関心があると示すことができる」と語っていた。つまり、重要なのは関心を示すという過程であり、政権転覆という結果ではないということだ。今振り返ってもこの分析がいちばんしっくりくる。トランプが他国の民主主義に興味がないことは明白だが、大統領選の最重要選挙区であるフロリダ州に多く住む中南米系の移民はベネズエラの独裁政権に反感を持っており、マドゥロ政権叩きは選挙活動としてこの上ないアピールとなる。ベネズエラ情勢は、米共和党の選挙戦略の一環として利用された。

一方、反米左派陣営が多用する「米帝国主義の侵略」という使い古されたキーワードも今の時代に合っているとは思えない。冷戦時代、米国が中南米の共産化を防ぐために各国でCIAによる介入など強引な手法を駆使して政権転覆に動いていたことは事実だが、今の米国にそこまでの力も野望もないことは明らかだ。グアイドを祭り上げて民衆を扇動するという手法も、真剣に政権転覆を考えているとしたら、本気度を疑うようなお粗末なものだった。冷戦の終結により米国の関心は中東やアジアに向かい、民主党・共和党問わず中南米とは距離を置きつつあった。ベネズエラ情勢への深入りを避けようという意図を感じる場面は多々あった。

また、技術革新によりシェールガス・オイルの採掘でエネルギーを自前でまかなえるようになった米国にとり、ベネズエラ産の原油の魅力はそこまで大きくない。ともに国内の支持者向けのポーズの相手として、マドゥロとトランプは互いに利用し合っていた節がある。微妙なバランスの上で2国間の関係が揺れ動く中、ベネズエラ国民は常に蚊帳の外で翻弄され続けた。

グアイドとは何者か？

混迷するベネズエラ情勢を解決する「救世主」として颯爽《さっそう》と政界の表舞台に躍り出たものの、相次ぐ失敗で国民に失望を与えたグアイドとはどのような人物なのか。２０１９年９月にベネズエラを訪れた際、単独取材の機会を得た。

カラカス中心部のオフィスビルに野党陣営は入居している。事務所や本格的な記者会見場なども備えており、そこで働くスタッフは冗談交じりに「大統領府」と呼んでいた。政権の嫌がらせで電力が不安定なためか、空調がほとんどきかず室内には熱がこもっていたが、「暫定大統領」としてのイメージを保つためか、グアイドはスーツとネクタイという服装で、汗を拭うこともなくしゃべり続けた。

正直、インタビューの内容は取材前に想定した通りの内容で面白みがあったとはいえない。「我々に足りないのは国際的な圧力だ」として日本を含む海外の国々に対してマドゥロ政権打倒に向けた支援拡大を呼びかけたほか「対話は解決にならない」と繰り返し、政権と交渉の余地はないと断言。私の「米国の経済制裁が市民生活に打撃を与えており、抗議活動が盛り上がらない一因なのでは?」という意地の悪い質問に対しても、「人々が疲れていることは理解している」と認めながらも「必要なときに大きな抗議活動を実行する」と話題をそらした。

取材に応じるグアイド

切り口を変えて何度質問しても、米国の問題点には一切触れず、延々とマドゥロ政権の批判だけ繰り返す姿を見ながら、「これは記事にしてもあまり面白くならないな」と私は考えていた。同時に、「米国の操り人形」というマドゥロ政権側の批判も的を射ているなと納得した。取材当時のグアイドの年齢は私より2歳年上の36歳。無名の若手議員だったにも関わらず、米国の描いたシナリオに沿って反政府の指導者として担ぎ上げられ、国際社会の注目が集まる中、ワシントンの指示通りに動くことしか許されない立場の人間の苦悩は他人にはうかがい知ることができない。暫定大統領への就任を宣言してから約8カ月。表情からも疲労がたまっていることが明らかだった。

最初から最後まで、教科書通りに野党指導

者を演じているように見えたグアイドだったが、取材が終わった後、素顔を見せる瞬間があった。趣味が野球だと聞いていたので、別れ際に雑談のつもりで日本のプロ野球にはベネズエラ出身の選手が多いという話をすると、パッと表情を変え、「アレックス・カブレラ知っているか？　彼は友人だ」と嬉しそうに語りかけてきた。西武ライオンズなどで活躍したカブレラはベネズエラ人で、日本のプロ野球から去った後も母国でプレーし、本塁打記録を作るなど活躍していた。

私は高校で軟式野球部に所属し、カブレラの西武時代の全盛期を目のあたりにした世代だ。カブレラの特徴的なバッティングフォームが部活で流行っていたと話し、実際に真似をしてみると、グアイドは手を叩いて大笑いした。短い時間でのやりとりだったが、同年代の野球ファン同士の連帯のようなものを感じた。取材では見せなかったこの表情こそが、グアイドの本来の姿だったのだろう。市民に愛される指導者であろうとすれば、こうした素顔をさらけ出し、自分の声で国民に語りかけた方が得であることは言うまでもない。しかし、米国政府はグアイドにそうした役割ではなく、操り人形として忠実に言うことを聞くことを求めた。ブラジルに帰国後、私は支局のテレビで幾度となくグアイドの姿を見たが、画面に映るグアイドは常に険しい表情をしていた。野球について楽しそうに語り、無邪気に笑う様子を見せていれば、もっとベネズエラ人のハートを摑めたのにと、今でも思う。

経済のドル化によるインフレ鎮静

ベネズエラ取材の最大の目的はグアイドの話を聞くことだったが、折角の機会なのでカラカスを中心に、各地を回った。貧困街の様子などは既に記した通りだが、すべてを伝え切ったとはいえない。実は、カラカス市内に限れば物不足は2018年5月の取材に比べてかなり解消されていた。ドラッグストアには海外から輸入されたシャンプーやリンスが並び、かつて棚が空っぽだったスーパーの精肉コーナーにはパック詰めされた牛肉や鶏肉が並んでいた。

経済が落ち込む中で品不足が解消した理由は、経済の「ドル化」だ。誰もほしがらない自国通貨の代わりに、ドルを日常的に流通することをマドゥロ政権が黙認したことが背景にある。海外から流入したドルが市中に出回るようになり、ピーク時に年率268万%を記録したハイパーインフレも私が訪れた時には5万%まで下がっていた。経済のドル化によるインフレの沈静化は、ジンバブエなどでも見られた光景だ。

駐在や出張でベネズエラに関係する日本人であれば誰もが知っている和食レストラン「阿比良亭（Ａｖｉｌａ Ｔｅｉ）」という店がカラカスのビジネス街、アルタミラ地区にある。日本大使館の元公邸料理人が経営していたというだけあって、南米各地に点在する「なんちゃって和食」とは一線を画する本格店で、私も出張のたびに利用した。

もっとも、ベネズエラでは食材から調味料まで輸入品をふんだんに使う必要があるため、価格帯は超高級レストランに位置づけられる。にぎり寿司のセットとビールを頼むと約54万Bs（約3000円）となる。ハイパーインフレの環境下、公務員が1年間働いても手にすることができない金額だ。しかし、店はいつ行っても多くの人でにぎわっていた。紙幣が紙くずのようになった結果、ドルを持っている一部の富裕層にとっては現地通貨での支払いは安価で済むため、相対的に豊かになるという仕組みだ。

盛況なのは飲食店だけではない。阿比良亭からほど近い高級住宅街では、高い壁に囲まれ、銃を持ったガードマンが入り口に立つ区画があった。中には高級家具店やインテリア用品店、ヨガスタジオ、ハンバーガー屋などが並んでいる。ひやかし半分で家具店に入ると、イタリアやドイツから取り寄せたという、システムキッチンやテーブルなどの高級品が並んでいた。どれも数万ドルする商品だが、店員は「治安が悪くなって外に出かけにくくなったから、ホームパーティーをする人たちに人気よ」と教えてくれた。貧困街で痩せ細った子どもが1日1食で過ごし、中心街でも路上のゴミをあさる国と同じ光景とは思えず、やり場のない気持ちだけが募った。

ベネズエラ人のドルの入手方法は大きく分けて2つある。1つは海外の家族からの送金だ。2019年の時点で海外在住のベネズエラ人は450万人。インターアメリカン・ダイアログの推計によると、70％の成人移民は収入の20～25％を送金しているとされ、一大産業になっている。政府の食糧配給が滞る中、多くの市民にとって命綱となっていた。

2つ目は「ビジネス」による外貨獲得だ。とはいえ原油以外の産業が壊滅状態のベネズエラで、豊かに暮らせるほどの外貨を自力で獲得できる市民は多くない。高級レストランや高級家具店を利用するような人々の多くは政府や軍などの利権に絡んでいるか、麻薬の輸出など犯罪行為に関与している可能性が高いと取材に同行したジャーナリストのカマチョは説明する。当時、ベネズエラ産の麻薬が中米経由で米国に渡っているとして、問題になっていた。

表で説明しにくい資金に手を出しているのは政府側の人間だけではない。カラカス滞在中、グアイドの側近である野党陣営の幹部と食事をともにする機会があった。指定された高級レストランではクラシック音楽をバックに、スーツで身を包んだウェイターがうやうやしく頭を下げ、ワインリストを持ってきた。ウルグアイ産のステーキとスペイン産のワインという組み合わせを口にしながら、私は内心、手持ちのドルで足りるのかと焦っていた。

しかし、会計のタイミングになると、野党幹部は支払いをしようとする私を制して「情報交換のためだから気にしないでくれ」と述べ、財布からドル紙幣を出して会計を済ませた。その時点で海外メディアを味方につけるための広報戦略だと気がつき、奢られるのは本意ではないと伝えたが、海外から来た客に払わせる訳にはいかないと頑として受け入れなかった。

釈然としない気持ちで店から外に出ると、カマチョは「あいつらは米国政府からたくさん金をもらって使い道に困っているんだ」と笑っていた。短い滞在期間で裏を取ることはできず、どこまで本当かはわからないが、「独裁政権に立ち向かうため、徒手空拳で市民のために立ち上がった野党陣営」という単純な構図だけでないことは明らかだ。

取材で会ったある弁護士は「裁判官の月給も10ドルに満たず、判決も1000ドルで買える」と嘆いていた。長引く経済崩壊により、ベネズエラでは9割が貧困層で1割が富裕層、中間層はいない状況だ。この国で生きていく上で最も大事なのは政治信条ではなく、金を持っているかいないかだ。

新型コロナウイルスでますます苦境に

取材を終えブラジルに帰国した後も、ベネズエラから入ってくるニュースはどれも悲惨なものだった。野党の求心力低下によりマドゥロ政権は支配を盤石なものとし、展望が見えない中、生活苦から国外へ逃れる国民は増え続けた。

ペルーのリマ、チリのサンティアゴ、アルゼンチンのブエノスアイレス……南米の主要都市に出張でいけば、四角いリュックを背負って自転車を漕ぎ、レストランの料理やスーパーの商品を運ぶベネズエラ人の姿を目のあたりにした。彼らの特徴的なスペイン語の発音はどの国の国民とも違い、一瞬でわかる。ブエノスアイレスで出会ったウーバーのドライバーは、かつて弁護士だったという。昼間はレストランで労働し、夜はレストランのオーナーから自動車を借りて運転手として働かなければ生活できないと話した。国内にいても国外に出ても、多くのベネズエラ人が安住できない状況に追いやられていた。

こうした中、すっかり影の薄くなったグアイドはこれまで以上に国外からの支援にすがる。「我々は世界的な犯罪集団に直面しており、あなたがたの助けを必要としている」。2020年1月、グアイドの姿はスイス・ダボスで開かれた世界経済フォーラムの年次総会（ダボス会議）にあった。秘密裏に出国し、欧州に渡航。世界から集まった政財界の指導者に、ベネズエラの苦境を訴え、支援を求めた。欧州各国の首脳と会談した後、2月には米ワシントンを訪れ、トランプ大統領と会談。「とても勇敢な男で、すべてのベネズエラ人の希望と夢、願望を運んでいる」と持ち上げられたグアイドだったが、政権打倒につながる具体的な支援の約束はないまま帰国の途についた。欧州も米国も、泥沼化しつつあるベネズエラ情勢から距離をとりたがっていることは明らかだった。

厳しい状況に置かれたベネズエラに、さらなる追い打ちをかけたのが新型コロナウイルスだった。もともと医療が崩壊状態だったため、検査すらほとんどできず、実際の感染がどこまで広がっているのか誰もわからないという状況に陥った。政権の能力不足も事態悪化に拍車をかける。マドゥロは新型コロナについて、中国を狙うためにつくられた人工的なウイルスで、バイオテロだという荒唐無稽な陰謀論を主張。蜂蜜やコショウなどを混ぜた「特効薬」が効果的だという科学的に根拠のない治療法を流布するなど、自ら混乱を拡大させた。

脆弱な社会基盤と迷走する政府の下、ベネズエラ社会の混乱は凄惨を極めた。同5月、刑務所で服役中の囚人が暴動を起こし、鎮圧で40人以上が殺害されるという事件が発生した。政府側は囚人が脱走を試みたと主張するが、現地からの情報では新型コロナ対策を理由に食べ物の差し入れが禁止となり、暴動が発生したという。鎮圧により犠牲となった収監者は、家族が賄賂を届けないと水すら飲めない状況だったとされる。

混迷はさらに深まる。8月には、コロンビアで失職しベネズエラに戻る国民がウイルスを持ち込んでいるとして、突如コロンビアとの国境を閉鎖。政府は帰国者を「バイオテロリスト」と呼び、十分な食料や水を与えないまま隔離施設にとじ込めていたことが後に発覚した。21年に入り、ワクチンの供給が始まった後も、ベネズエラ政府の姿勢に変化はなかった。ワクチンの接種を受けることができる対象は祖国カードを通じ選別し、与党支持者中心とした。ワクチンをわけ隔てなく公平に供給するという、公衆衛生の基本的な理念すら踏みにじる行為だが、世界は新型コロナという未曾有の危機を前に自分たちのことでいっぱいいっぱいになり、ベネズエラに目を向けられることはなかった。

「資源の呪い」

2020年11月の米大統領選でトランプがジョー・バイデンに破れ、民主党政権が誕生してもベネズエラ情勢は膠着状態から動かなかった。バイデンは選挙戦でトランプ政権の対ベネズエラ外交について「失敗であり、マドゥロ政権はより強くなった」と舌鋒鋭く批判して

1人あたりGDPはチャベス政権前の半分に

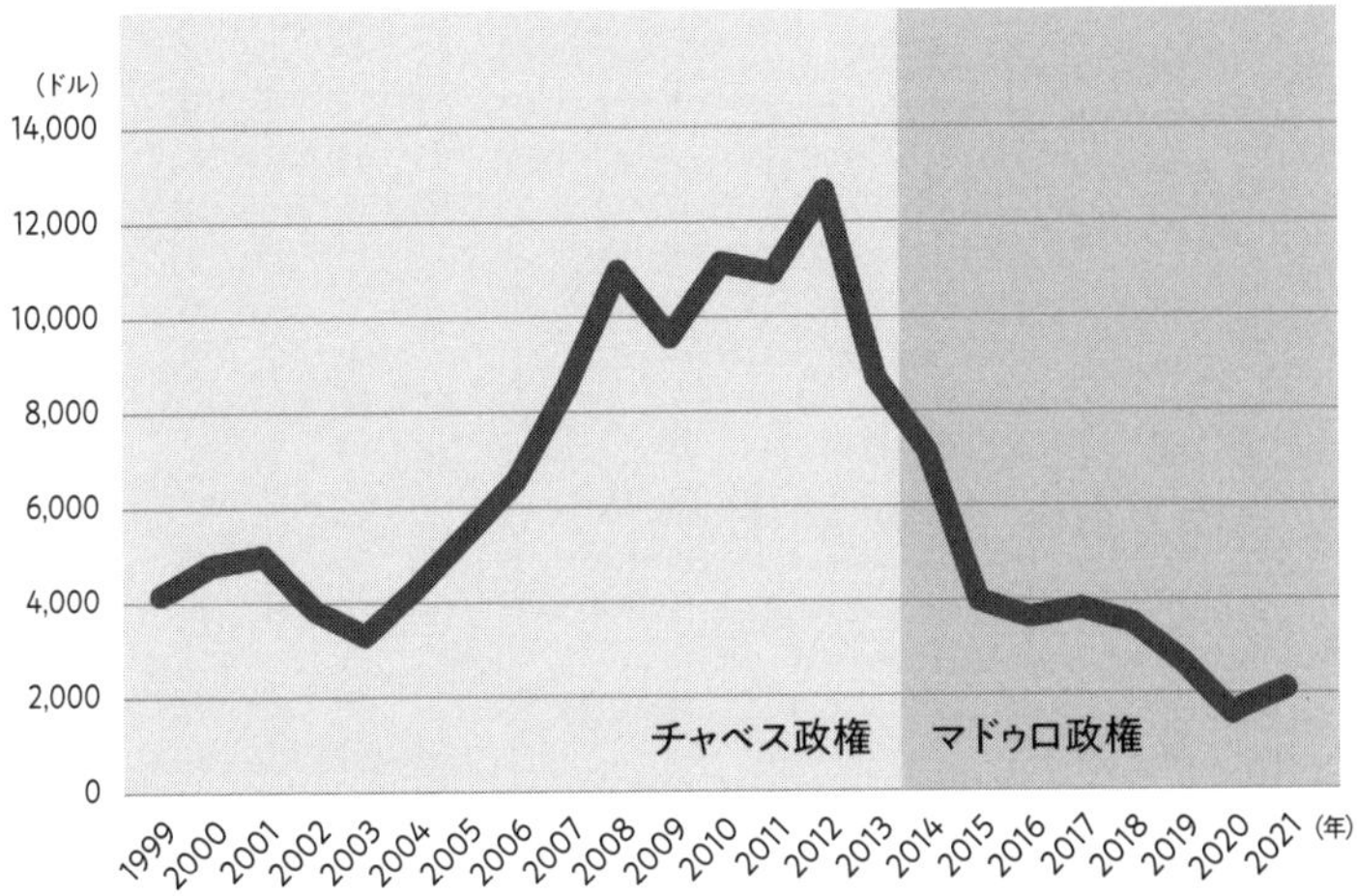

いたが、翌21年に大統領の座に就任した後は特にベネズエラ情勢について言及したり動いたりすることはせず、外交では対中関係やアフガニスタンからの軍撤退に追われた。

この間、マドゥロは着々と権力の掌握を進めた。20年10月の国会議員選挙では、野党がボイコットする中、マドゥロ率いる与党連合が9割の議席を確保。21年1月に新国会が発足すると、グアイドは暫定大統領としての肩書きも失った。マドゥロは「立法権は規定を順守し、平和裏に確立された」と勝利宣言した。

マドゥロの政権基盤が盤石になる一方、経済は着実に悪化していった。ロイター通信が報じたPDVSAの社内資料によると、同国の20年の石油輸出は前年比37・5%減と、77年ぶりの低水準に落ち込んだ。唯一の輸出品である原油がこの状態では、経済の再生など立ちゆかない。ＩＭＦによると、21年の一人あたりＧＤＰは２０７１ドル。チャベス政権発足前の約半分、ピーク時のわずか16％の水準だ。

中央銀行は21年10月、通貨単位を6ケタ切り下げるデノミを実施した。経済のドル化が進んだとはいえ、まだカードを使った決済などで現地通貨が使われており、不便が生じていたためだ。コーヒー1杯で数百万Ｂｓが必要になるなど通貨のケタが大きくなりすぎ、市民生活に支障が出るようになっていた。18年にも5ケタを切り下げるデノミを実施したばかりで、焼け石に水であることは言うまでもない。前回のデノミに併せて導入したＢｓの市中の両替商でのレートは1ドル＝59Ｂｓだったが、再デノミの時点での価値は1ドル＝４５４万Ｂｓと、わずか3年で約7万７０００分の１に落ち込んでいる。

もっとも、マドゥロの就任後、崩壊の一途をたどっていったベネズエラ経済だが、ついに底打ちのときがきた。それは国民が待ち望んだ政権交代でも、マドゥロ政権の改心でもなく、より最悪のかたちで起こった。ロシアによるウクライナ侵攻だ。ロシアへの経済制裁で原油価格が上昇すると、ベネズエラの輸出は急回復した。ＩＭＦはベネズエラの22年の経済成長率を、8％のプラスと推定する。インフレ率は年率２１０％と相変わらず高水準だが、最悪期は脱したという見方が一般的だ。もともと、ロシアの支援を受けて延命していたマドゥロ政権だったが、またしてもプーチンに救われたかたちとなった。それどころか、ウクライナ情勢の長期化で世界的にエネルギーの需給が崩れた中、バイデン政権は原油価格を抑えるために対ベネズエラ制裁を部分的に緩和した。もはや、米国政府にベネズエラ情勢をどうにかしようという気力がないことは明らかだ。

もっとも、このくらいの経済成長は焼け石に水だ。今もなお、人々は飢えに苦しむ。内戦が起きている訳でもなく、ただ権力に固執した左派政権の失政によるものだが、誰もマドゥロの暴走を止めるものはいない。

UNHCRは約710万人のベネズエラ人が国外に移民や難民として逃れたと指摘する。人口のピーク時の15年から逆算すると、国民の約23%が国外に逃れている計算だ。私が南米各国で出会ったベネズエラ人のうち、40歳以上の人々の多くはかつてチャベスに投票していたと告白する。彼らにとって絶望的なのが、この政権がクーデターによって生まれたものではなく、民主主義のルールに従い、変革を求める市民の1票によって誕生したという点だ。

国中にはびこる汚職を一掃して格差を是正し、特権階級ではなく低所得者のための政治を――。こうしたキャッチフレーズは人々を奮い立たせ、政権交代を実現させた。しかし、崇高な理念は時間の経過とともにゆがみ、いつしか自らの権力を守るために国民を追いつめ、海外に追いやる独裁政権が誕生していた。多くの市民がゴミをあさって飢えをしのぐ中、壁1枚隔てた高級レストランでは人々が輸入品の肉やワインに舌鼓を打つ。そんなグロテスクな光景を望んだ人間は当時、誰一人としていなかったはずだ。

ベネズエラの惨状は、豊富な天然資源が中長期的に経済発展を阻害するという「資源の呪い」の代表例として挙げられる。英オックスフォード大の経済学者、ポール・コリアーは不労収入をもたらす資源が汚職を生むと指摘し、天然資源の生み出す収入について市民が理解し、ルールと制度で政治権力の専制を防ぐしかないと指摘した。しかし、権力側がルールを無視するようになったとき、現在の民主主義のシステムと国際社会の枠組みでは限界があるということをベネズエラは国内外に知らしめた。経済制裁をしたときに、真っ先に被害を受けるのは立場の弱い市民だ。

本書を執筆している23年5月の時点で、マドゥロ政権は依然として権力を掌握し、飢える人々は周辺国を目指している。AP通信は22年10月、危険なジャングルをかきわけて陸路で米国を目指すベネズエラ人難民の様子を伝えた。そこには多くの子どもたちの姿があった。今もなお、命を賭して出国するベネズエラ人は後をたたない。ポピュリズムに翻弄され、崩壊していったベネズエラの民主主義。南米で最も豊かだった国が世界に残した教訓はあまりに重く、そして苦い。

第2章

アルゼンチン

落日の大国を覆う投票の呪縛

ARGENTINA

アルゼンチン
ARGENTINA
コルドバ
ブエノスアイレス
人口：4,580万人
GDP：4,867億ドル
出所：IMF、世界銀行
（2021年時点）
エル・カラファテ
フォークランド諸島
（マルビナス）
ウシュアイア

地鳴りのような歓声の中、どこからともなくカント（応援歌）がはじまり、歌声が次々と広がっていった。巨大なアルゼンチン国旗がはためき、興奮した人々がジャンプすると、それが伝播し、文字通り地面が揺れた。数万人の群衆による大合唱は、まるでサッカースタジアムにいるかのようだった。２０１９年12月。アルゼンチンの首都、ブエノスアイレスにある大統領官邸「カサ・ロサダ（ピンクの家）」の前の広場は、官邸のあるじの交代を待つ人々で埋め尽くされていた。

アルゼンチンでは2カ月前に実施された大統領選で、左派の候補であるアルベルト・フェルナンデスが右派の現職マウリシオ・マクリを下し、左派陣営が4年ぶりに政権に返り咲くことが決まっていた。物価上昇率が年率50％を上回るインフレが恒常化し、経済も低迷する中、市民が求めたのは政治の刷新だった。「マクリ政権による大企業のための政治から、市民のための政治へ」。経済が混乱する中、こうしたスローガンを掲げるフェルナンデスの支持は圧倒的だった。「ネオリベラリズモ（新自由主義）は終わった！」。一人がそう叫ぶと、周囲の人間が「バモス（行くぜ）！」と返す。こうした掛け合いは、セレモニーがはじまるまで、延々と続いていた。

浮かれる人々をよそに、ステージの真ん前にあつらえられたプレス席に陣取る報道陣は冷めた雰囲気だった。10月の大統領選でフェルナンデスが勝利して以来、政権交代による政策の変更を懸念する人々が両替商に殺到し、通貨ペソは対ドルで値を下げ続けていた。海外の金融機関や国際機関に対外債務の返済を待ってもらい、国民に手厚く分配することで国民生活を立て直し、通貨安も食い止める――。そんな魔法のようなことができるのであれば、アルゼンチン経済がここまで落ちぶれることはないというのは知識階級層の間では常識だった。そして、熱狂している人たちが実現不可能な夢物語にすがらざるを得ないほど追い詰められているということも、記者たちは誰もが理解していた。

南半球のアルゼンチンでは12月は真夏にあたる。照りつける日差しは容赦なく降り注ぎ、スマートフォンの画面が示す気温は30度を超えていた。人々が密集する広場には屋根もなく、熱気で蒸し風呂状態だ。「アグア（水）、アグア！」。群衆のあちこちから、水を求める叫び声が聞こえる。多くの人々が持ち込んだペットボトルが空になるが、計画なしに人を詰め込みすぎたため脱出や飲料水の補給もままならず、熱中症で倒れる人もでてきた。警備員が救助に向かうが、人波にもまれて、移動もままならない。あちこちでバタバタと倒れる人たちが相次ぎ、気がつけばステージ前の特等席だったはずの最前列はパニックの最前線になっていた。

「ハポネス（日本人）、これがアルゼンチンだ」。記者席で隣に座った男性カメラマンが苦笑いしながら肩をすくめ、混乱状態の群衆に望遠レンズを向けていた。市民も運営側も先を見通す計画性がなく、その場の勢いだけで物事が進み、結果として混乱状態に陥る。デフォルト常連国アルゼンチンの現状と、今後の先行きを象徴するような光景を、私は呆然と眺めて

大統領就任演説を前に混乱する市民

いた。

落日の大国

熱狂と混乱の大統領就任式から2年8カ月前の2017年4月。サンパウロ支局に着任し、私が真っ先に向かったのはアルゼンチンの首都、ブエノスアイレスだった。ダボス会議として知られる世界経済フォーラムの中南米地域総会の取材のためだが、目当てはアルゼンチンのマクリ大統領だ。南米大陸を担当する記者として、なにをおいてもマクリという人物をひと目見てみなければという使命感に駆られ、ブラジルでの新生活を立ち上げる間もなく、飛行機に飛び乗った。

当時、マクリは南米大陸という枠を超え、世界の経済界で最も注目されていた政治家の一人だった。15年の大統領選では野党候補として不利な立場から逆転勝利し、12年にわたる左派政党の支配を終わらせた。長年の保護主義で内に閉じこもっていたアルゼンチンを世界に向けて開放したという実績は世界中にとどろいていた。経済改革や開放経済という政策を掲げるマクリは経済界から好意的に捉えられ、米タイム誌は16年、「世界で最も影響力のある100人」にマクリを選出し、「経済改革のチャンピオン」と持ち上げた。

マクリによる総会の冒頭演説は堂々たるものだった。「せっかくアルゼンチンに来たんだから、ビジネスだけじゃなくて観光もしてください。訪れるべきところがたくさんありますから」とジョークも交えて国のアピールから入る姿は洗練されており、政治家というよりも敏腕ビジネスマンのそれだった。「今日、我々は将来に賭けることを決めた。事実に基づき問題をテーブルに置き、それと向き合い解決する」と胸を張って話す様子を、世界中から集まった投資家や企業幹部は引き込まれるように聞き入っていた。

落日の大国――。アルゼンチンを表すのに、これほど適切な言葉はないだろう。今でこそ途上国に分類されるアルゼンチンだが、経済・文化ともかつては世界の最先端を走る一流国だった。農業や牧畜に適した肥沃な大地は輸出により莫大な富を生み、第1次世界大戦で疲弊した欧州諸国を追い抜き、1人当たりGDPで世界4位を記録したこともある。小説『母をたずねて三千里』では、イタリアに住むマルコがブエノスアイレスに出稼ぎに出たまま音信不通となった母親を探し旅立つ場面から始まる。かつてのアルゼンチンは途上国どころか、欧州の貧しい人々が豊かさを求めて移住する国だった。

中世ヨーロッパの面影を残し「南米のパリ」と呼ばれるブエノスアイレスを歩くと、アルゼンチンが豊かだった頃の名残があちこちに見られる。石造りの歩道や歴史のある建物など洗練された町並みは美しく、悲しげなバンドネオンの音色が奏でるアルゼンチン・タンゴには文化の香りが充満している。パリのオペラ座やミラノのスカラ座と並び世界三大劇場の一画を占めるコロン劇場の荘厳さは、南米の他の国では決してお目にかかることができないものだ。市民の足となっている地下鉄は1913年に開通したが、これは日本では大正時代にあたる。東京に地下鉄を敷設する際、ニューヨークやロンドンと並び視察団を受け入れたのが当時の世界有数の先進都市、ブエノスアイレスだった。

取材に応じるマクリ大統領

しかし、マクリが就任した15年のアルゼンチン経済は病人のようだった。長年の左派政権の支配で財政は傷み、保護主義で内にこもった産業は競争力を失っていた。4000万人を超える人口を抱え、広大な国土に豊富な天然資源、地域有数の高い教育水準と、発展するための要素はすべてそろい、潜在力があるにも関わらず生かし切れていない。そんな評価だったアルゼンチンを率いる新たなリーダーとして、マクリの双肩には大きな期待がかかっていた。そしてマクリもその期待に応えるべく振る舞っていた。マクリの演説を拍手で褒め称えた誰もがマクリの描く明るい未来に期待しており、会場は期待感で満ちていた。この時点で、アルゼンチン経済の再転落を予想していた人間は少数派だった。

豊かな国の貧困

アルゼンチンで知識階級の人と食事を一緒にすると、よく耳にするジョークがある。「神が地球を創った際、肥沃な草原や石油の鉱脈、雄大な風景、変化に富んだ気候など、あらゆる面で豊かさを備えた地域が南半球にあることを発見した。神はバランスを取るために、アルゼンチン人を配置した」。恵まれた立地を生かせず経済発展の機会を逃し続けるアルゼンチン人、という自虐風のジョークだ。こう自嘲したくなるほど、アルゼンチンという国が豊かであることは確かだ。ちなみに、「世界には4種類の国がある。先進国、途上国、（先進国から途上国に落ちぶれた）アルゼンチン、（途上国から先進国に上り詰めた）日本」という、ノーベル経済学賞を受賞したサイモン・クズネッツの言葉も、アルゼンチンで取材しているとよく聞く言葉だ。

アルゼンチン経済の没落は、数字の上でも明らかだ。世界銀行によると、1962年時点

アルゼンチン経済は長期にわたり低迷（GDP、ドル）

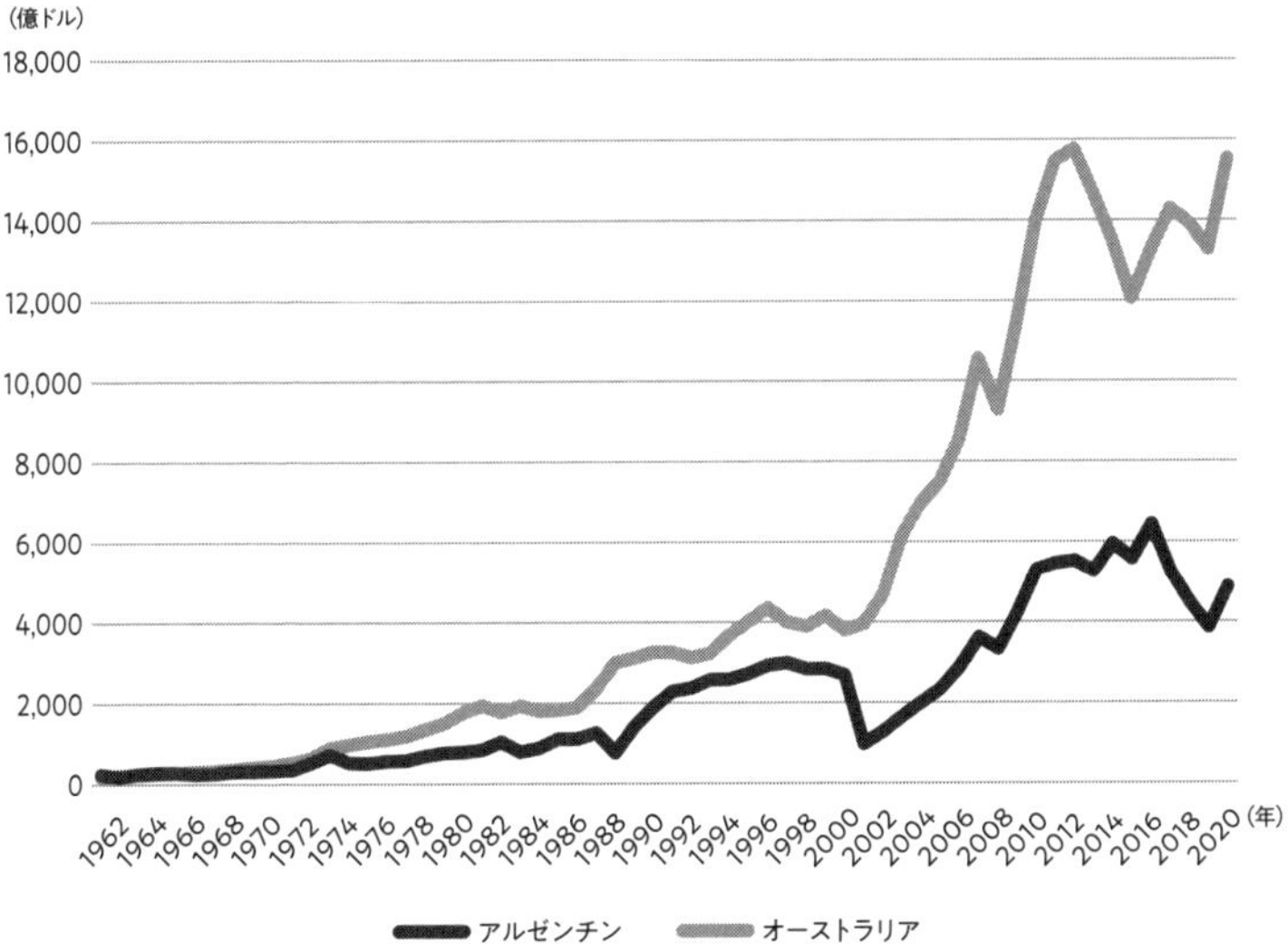

出所）世界銀行

でアルゼンチンのＧＤＰは２４４億ドルで世界9位だったが、約40年の時を経て２０２１年には27位まで落ちている。人口規模や経済構造が比較的似ており62年に世界10位だったオーストラリアの経済規模はこの間、アルゼンチンの３倍以上に拡大している。

　もっとも、貧しさと切っても切り離せない南米大陸にあって、アルゼンチンという国の潜在能力は他の追随を許さない。西部のアンデス山脈沿いでは銅や金など各種鉱物資源が採取され、ＥＶの電池の基幹素材であるリチウムの埋蔵量も豊富だ。中部地域には世界有数規模のシェールオイル・ガス田が存在する。また、国土の2割を占めるパンパと呼ばれる肥沃な大平原は農牧地として最適で、牛が悠々と草をはみ、巨大なトラクターが轟音をたてて穀物を収穫する姿は日本で目にしてきた農業とは別次元のスケールだった。氷河で有名なパタゴニアやイグアスの滝など観光資源も豊富で、南米では希少なスキー場や高級リゾートまで備える。世界的に名高いステーキやワインは言うに及ばず、これほど恵まれた国は世界を見渡しても少ないだろう。

こうした恵まれた条件にも関わらず、アルゼンチンの近代経済史は苦難の連続でもある。ブエノスアイレスの中心部にひっそりと立地する中央銀行博物館を訪問すると、その理由が一目瞭然だ。通貨の歴史のコーナーでは途中から経済崩壊、ハイパーインフレ、通貨切り下げ、新札との交換と不穏な言葉が続く。歴代のほとんどの政権が通貨を安定させることができず、インフレを抑え込めないまま対外債務を踏み倒すデフォルトを起こしてきた歴史がすべてを物語る。過去200年で8回のデフォルト（当時）を起こし、経済破綻の代名詞という不名誉な立ち位置になっているのもうなずける。

マクリが大統領選に勝利した2015年も、経済が低迷している最中だった。12年間続いた左派政権は資源高にのって得た富を低所得者層への補助金や各種手当などのばらまきに活用。資源高の地合いで高成長を実現したのはベネズエラと同様だが、資源価格の低迷で同じように高転びした。

財政規律が緩む中、通貨安に伴う物価上昇と景気低迷が重なり、当時のアルゼンチンはスタグフレーションの状態にあった。また、通貨安を抑えるために外貨購入を制限し、税収確保のために輸出に税金をかけるなど反ビジネス的な路線に邁進したことで経済の血流である資金が国内で循環せず、多数の失業者を生み出した。豊かな国でありながら、多くの人々が貧困生活を強いられた。

首都ブエノスアイレスの市長として大統領選に立候補したマクリは同国有数の資産家の一家に育ち、サッカーの名門クラブ、ボカ・ジュニアーズ会長を務めたこともある。国民からはビジネスマンとしての手腕に期待が集まったかたちで、当選後の記者会見では「今日のアルゼンチンの大きな問題は過去4年間に成長がなく、雇用が創出されなかったことだ。これから我々が国を前進させていく」と言い切り、企業と二人三脚で経済を立て直すと内外に宣言した。これは労働組合を支持母体とする左派政権には不可能なことで、企業や投資家は大歓迎した。

マクリ政権の出だしは順調に見えた。就任早々、輸出規制など左派政権の置き土産を撤廃し、翌16年2月には過去のデフォルト後の後処理をめぐり紛争を抱えていた米欧のファンドと返済案で合意。4月には米国でドル建ての債券を発行し、左派政権下で実現できなかった、国際金融市場への復帰を果たした。「アルゼンチンは15年の孤立を経て、債券市場に戻ってきた」と英BBCは好意的に報じた。世界経済フォーラム中南米総会でのマクリの自信に満ちあふれた態度も、就任からの自分の歩んできた道が間違っていなかったという確信に裏付けられたものだった。

マクリの「グラジュアリズモ」

マクリに対する期待が上がり続けていた背景には、当時の世界で保護主義の機運が高まっていたことがある。２０１７年１月に米国でトランプ政権が誕生すると、トランプは就任早々、環太平洋経済連携協定（ＴＰＰ）から離脱する大統領令に署名。「米国第一主義」の下、中国との貿易戦争に乗り出した。

一方、アルゼンチンはこれまでの左派政権下で保護主義や統制経済的な政策を取っていたが、マクリは方針を１８０度転換。農家や企業に輸出を奨励する一方、貿易赤字の拡大につながりかねない海外からの物品輸入をスムーズにした。欧州や日本でも自由貿易に対する懐疑的な意見が一部で広がる中、「自由貿易こそが経済成長のエンジンである」というマクリの主張は異彩を放った。

17年4月末、マクリは米国を訪問し、投資誘致のために米国の石油企業が集まるヒューストンで石油企業に対しアルゼンチンのシェールガス・オイルの開発に参画するよう要請。そのままワシントンを訪れると、ホワイトハウスでトランプと会談した。もともと、マクリはビジネスマンとして不動産開発などでトランプと付き合いがあることでも知られる。トランプは「彼は私の古くからの友人だ」と記者団に向かってマクリを紹介し、後にマクリが「とても友好的な雰囲気だった」と振り返る様子を世界中のメディアが報じた。

私もワシントンでマクリの訪米を取材する機会を得た。率直な感想として、マクリへの評価はアルゼンチン本国よりも、遠く離れた米国での方が明らかに高かった。トランプが保護主義で内にこもる中、「我々は国際社会に帰ってきた」と宣言し、アルゼンチンという国の「開国」を主導する新しいリーダーとしてマクリに対する期待感は上がり続けていた。マクリが登壇するシンクタンクでのイベントは満員で、ワシントンに住む外交専門家やビジネスマンが大勢押しかけた。世界が内向きになる中、マクリに当たるスポットライトの量は増え続けていた。

既にアルゼンチンという国の枠を超え、国際社会では自由主義経済の旗手として担ぎ上げられつつあったマクリだったが、実は当時のアルゼンチンでの評価は賛否が拮抗していた。各種世論調査では、就任時の15年12月の世論調査ではマクリの支持率は60〜70%、不支持率は20〜30%程度だったが、月を追うごとに支持率は減少し、不支持率が上昇。17年の時点では、支持率・不支持率とも40〜50%で並んでいる状態となっていた。

理由は明白で、マクリの進める改革が痛みを伴うものだったからだ。例えば、外貨取引規制の緩和に伴う自由変動相場への移行。公定レートと闇レートの二重相場制という市場の歪みをなくすという意味で、経済学的には「正しい」政策だが、公定レートが闇レートに近づくため、一時的に通貨安を加速させ、輸入物価の上昇を招いた。また、公共料金への補助金削減も、市民からすると不人気な政策だ。補助金の削減は財政健全化に貢献するが、今まで貰えていたものがなくなることになる。これらの取り組みはインフレ要因となり、市民生活を直撃した。

15年の大統領選でのマクリの得票率は51%で、左派陣営の対抗馬との得票率の差は3ポイントにも満たない僅差だった。議会では過半数を押さえておらず、圧倒的な民意があったわけではない。いくら海外の投資家や企業からの評判が高く、改革によって中長期的に国が成長路線に戻ると言われたところで、無条件で改革に伴う痛みを受け入れることができる市民は多くなかった。

もっとも、市場ではこれらの改革は「グラジュアリズモ（漸進主義）」と呼ばれ、国民の急激な痛みを避けながら進められたと評価された。マクリからしてみると、任期の4年をかけて徐々に改革を進めていくことで土台をつくり、19年の大統領選で再選して2期目で成果を出していく算段だったため、あまりに急激な改革はできなかったというのが実情だ。しかし、多くの国民はそう受け止めず、「大企業や市場の方ばかり見ているマクリが我々の生活を攻撃している」と恨みを募らせた。この市場の評価と国民の受け止めかたの食い違いは、後々、尾を引くことになる。

目まぐるしく変わる政権と保護主義

なぜ、世界有数の豊かな国だったアルゼンチンがここまで脆弱な経済構造になってしまったのか。歴史をさかのぼると、1929年の世界恐慌が大きな転機となっている。それまで農業国として食肉や穀物を欧州に輸出することで外貨を稼ぎ富裕国にまで上りつめたアルゼンチンだったが、世界恐慌をきっかけに欧州で大戦が勃発。欧州市場の荒廃で輸出が低迷したことに加え、安全保障の観点からも、輸入に頼っていた工業品を自前で製造する方針が打ち出された。農業から工業への経済構造の転換であり、後に中南米やアジアの途上国でも進められた、輸入代替工業化の先駆けである。

しかし、当時のアルゼンチンの人件費は高かった上、工業化に必要な人材や産業も集積していなかった。投資も不十分だったため、アルゼンチン産の工業品は国際競争力を発揮することができなかった。重工業の立ち上げに失敗した上に、十分な資本が投下されなかった農業も衰退。かつて農畜産物の輸出で蓄えた外貨を切り崩す状況に追い込まれた。

経済が停滞する中、土地の所有者など一部の富裕層が富を独占し、労働階級が搾取されるという経済構造が固定化されていった。こうした中、都市部の労働層を支持母体として1946年に大統領に就任したフアン・ペロンは労働者の保護を名目に、ポピュリズム的な政策を進めた。ペロンが設立した正義党はペロン党とも呼ばれ、マクリが2015年に大統領に就任するまで、12年にわたって政権を担っていた左派政党でもある。

日本人にとって、ペロン本人よりも、妻のエバ・ペロンの方が有名かもしれない。史実をもとにしたミュージカルや映画「エビータ」ではエバが婚外児であり貧困層という逆境から女の武器を駆使し、ファーストレディーにまで上りつめる姿が描かれた。貧しい人々に率先して医療など福祉を提供するペロンの政治姿勢はエバに大きく影響されていたとされる。エリートから資産を奪って貧困層に分配するというペロンの政策は、現在の南米で見られる左派政権のひな型にもなった。

ペロンは分配策の強化と同時に、産業の国有化や保護主義に傾倒した。国産品の使用を奨励するほか、外資規制や輸入品への課税や割当制など、あらゆる手段で安価な海外製品の流入を防いだ。海外の工業品よりも優れた製品を作るのではなく、海外製品を閉め出すことで国内の製造業を保護するという思想はその後の歴代政権に引き継がれる。厳しい競争を避けた結果、ぬるま湯の中でアルゼンチン企業の国際競争力は低下し続けた。

政情が常に不安定だったことも、経済にはマイナスに働いた。1955年にはペロンに不満を持つ保守派が軍と組みクーデターを実施、ペロンは国外に追われた。その後も政治介入を続ける右派の軍部と大衆の支持を基盤とする左派のペロン党によるめまぐるしい政権交代が続き、一貫した経済政策を持たないアルゼンチン経済は世界の成長から取り残された。ハイパーインフレやテロの頻発など、社会の不安定化も進んだ。

1976年にはクーデターにより、軍事政権が誕生。外資を誘致し、価格設定の自由化など、市場メカニズムを重視する経済政策を掲げた。しかし、国際競争力を持たないアルゼンチンの産業が復活することはなく、むしろ景気混乱は続いた。厳しい弾圧などで国民の不満がたまる中、軍政は賭けにでた。狙いはブエノスアイレスから南に約1900キロメートルにある英領フォークランド諸島だ。戦争で国内の不満を外に向けようという博打は、アルゼンチン経済に深い爪痕を残すことになる。

フォークランド紛争の敗戦

ブエノスアイレス北東部、市街地からタクシーで30分の場所に「マルビナス博物館」がある。マルビナスとはフォークランド諸島のスペイン語名で、アルゼンチン人にとっては特別な意味を持つ。

1982年3月、アルゼンチンの軍事政権は突如、イギリスが領有するフォークランド諸島を侵攻した。世界を驚かせたフォークランド紛争の火蓋は、当のアルゼンチン国民にとっても驚きをもって受け止められたとされる。「英植民地主義の排除」を掲げたアルゼンチンのガルチェリ政権だが、同諸島のわずか1800人の住民の大半は英国系の入植者で、彼らが英国からの独立を望んだわけではない。もともと牧羊が主要産業の辺鄙な島で、人間よりもペンギンの方が多いとも言われる。アルゼンチン政府は周辺海域の海底油田を狙うと同時に、戦争を通じてナショナリズムを煽ることで、軍政への不満を逸らそうとした。

マルビナス博物館に入ると、入館早々、待ち構えていたのは同諸島の歴史だ。16世紀、アルゼンチンの独立前から先住民の漁に使われていたという経緯から始まり、1700年代に入ってからは当時世界の覇権を争っていたフランスや英国、スペインの間で領有権をめぐり小競り合いが起きていたことが記されている。アルゼンチン側はスペインの植民地時代からの継承権を主張しているが、1833年から英国が実効支配しており、領有権の主張は苦しいように見える。

平日ということもあったが、博物館は人もほとんどいなかった。入場料は無料だが、市民から関心を持たれているとはいいがたい。周辺の学校の子どもたちが歴史学習で訪れるとき以外は、静かなものだという。そもそもアルゼンチンという国にとり、フォークランド紛争は屈辱の記憶そのものだ。戦争を開始した直後の4月上旬までは有利に戦闘を進め、本島に10000人もの兵士を上陸させたものの、西側諸国の多くは英国を支持し、アルゼンチン産品の輸入禁止で圧力をかけた。脆弱だったアルゼンチン経済はさらに疲弊した。当時、ブエノスアイレスに滞在していた日本経済新聞のサンパウロ特派員、和田昌親は「街中を歩いてもまったく戦時中という高揚感はなく、国民は冷めていた。軍事政権が期待していたであろうナショナリズムの高揚は起きず、厭戦《えんせん》ムードが漂っていた」と振り返る。

ほどなく、英国のサッチャー政権は大国の威信をかけ、最新鋭の兵器で反撃に出た。5月に入ると、戦況は英国有利の色合いが濃くなる。英軍の原子力潜水艦がアルゼンチンの巡洋艦を攻撃し沈没させ、300人を超える死者が発生。英軍による爆撃と波状的な艦砲射撃によりアルゼンチン軍の士気の低下は止まらず、次々と兵士が英軍に下った。開戦から3カ月もたたない6月14日にアルゼンチン軍が全面降伏し、英軍が武力奪還を成功させた。

博物館では、墓地の写真を背景に、戦争で死んだ兵士一人ひとりの白黒の顔写真が雑然と掲げられた部屋があった。死者数は649人。多くが未来のある若者だった。部屋を埋め尽くす顔写真が物語るとおり、アルゼンチンにとって得るものがなく、失うばかりの戦争だった。

「鉄の女」と呼ばれた英国のサッチャー首相がフォークランド紛争での勝利を機に支持率を高め、長期政権の基礎を築くことになったのと対照的に、敗者となったアルゼンチン政府の末路は悲惨なものだった。開戦を主導したガルチェリ大統領は降伏から3日後に敗戦の責任を取り辞任。「重責を全うしたかったが、陸軍内部の支持を得られなかった」と恨み言を残して政権を去った。翌年、ガルチェリは軍政時代に行ったジャーナリストや政治運動家らへの苛烈な弾圧や敗戦の責任を取らされるかたちで逮捕され、有罪判決を受け投獄された。

敗戦の痛みは国民の間でも共有された。戦時統制経済で経済は傷み、物価上昇率は年率189%と3桁台に突入。新政権発足で為替取引が再開されるやいなや、市民が両替商に殺到し、ペソは3日間で対ドルで60%も暴落する事態に陥った。有事の際、市民や企業がドルを手にするために自国通貨を売るという場面はアルゼンチン人の基本行動として、この後も危機のたびに幾度となく繰り返されることになる。

マラドーナと救世主

敗戦によりアルゼンチンからの資本流出は加速し、残ったのは混乱した政治体制と巨額の政府債務、そしてインフレだった。1982年の経済成長率はマイナス3・1%となり、物価上昇率は年率200%を超えた。83年2月のニューヨークタイムズは「アルゼンチンのビジネスマンにとり、短期とは今夜までのこと、中期とは週末までのこと、長期とは次の経済相の交代までのことだ」という縫製業者のブラックジョークを伝えている。

同年6月には中央銀行が通貨を4桁切り下げるデノミを実施したが、物価上昇を抑える効果はなく、当時の新聞は市中で旧紙幣と新紙幣が並行して流通する様子を伝えている。その後も対外債務の返済をめぐる交渉が難航したり、中央銀行総裁が身柄を拘束されたりと、混乱は継続。総選挙を経て12月に民政移管を実施したものの、明るくなる気配はなかった。

その後も、債務問題と高インフレを解決できないままアルゼンチン経済は数年おきにマイナス成長となる、浮き沈みの大きい状況が続いていく。85年には信用毀損が続くペソに代わり新通貨「アウストラル」を導入したが、根本的な解決にはいたらず、わずか6年で役目を終えることになる。この間、80年に8361ドルだった1人当たりGDPは増減を繰り返しながら89年には2867ドルまで落ち込み、80年代は「失われた10年間」と呼ばれた。政治・経済ともゴタゴタが続き、失意のときをすごしたアルゼンチン国民にとり、数少ない良い思い出が86年のサッカーワールドカップ（以下、W杯）での優勝だ。悪童・マラドーナがピッチを縦横無尽に駆け回り、「神の手」や「5人抜き」は現在もなお伝説として語り継がれる。

2020年11月、サンパウロで昼食をとっていると、携帯のアプリやメールの通知音が次々と鳴り響いた。アルゼンチンはもちろん、南米各国のメディアがマラドーナの死去を伝える速報を相次ぎ発信したためだ。アルゼンチンの主要メディアはマラドーナ一色となり、国葬には数十万人の市民が殺到した。

駐在生活も3年半がたち、南米の人々のサッカー愛を理解しているつもりだったが、テレビの画面に映るブエノスアイレスの映像は想像を絶するものだった。悲嘆に暮れる人々が地面に突っ伏して号泣する中、街中のあちこちで応援歌の大合唱が響き、興奮した一部の市民が暴徒化。催涙ガスやゴム弾を発射する治安当局と市民が投石で応酬する場面もあった。日本で伝えられる、マフィアとの交際や薬物中毒などのスキャンダルにまみれ、晩年には破天荒なキャラクターばかりが取り上げられたマラドーナのイメージと、その愛され方は大きくかけ離れていた。

フォークランドでの敗戦を知るアルゼンチン国民にとり、マラドーナは特別な存在だ。1

986年W杯の準々決勝、ハイライトとなっている神の手や5人抜きをお見舞いしたのはフォークランド紛争の因縁の相手、イングランドだった。敗戦後の混乱でW杯前年の85年の経済成長率はマイナス7%と、どん底の雰囲気だった。

敗戦から立ち直れずにいたアルゼンチン国民の期待を一身に背負い、憎き英国にひと泡吹かせ、世界の頂点という栄光をもたらしたマラドーナはスポーツ選手を超えた存在となった。現地ではスペイン語で神を意味する「DIOS」と背番号10をかけた「D10S（神様）」とも呼ばれ、神としてあがめる「マラドーナ教」も存在する。歴史的な名選手は世界中に数多くいるが、ここまで神格化されたのはマラドーナだけだろう。

もっとも、過度な神格化はマラドーナを超える存在が長年現れなかったことの裏返しでもある。86年以来、アルゼンチン代表はW杯で優勝を逃し続け、ライバルのブラジルに大きく差をつけられた。オルテガ、リケルメ、アイマール、テベス……「マラドーナ2世」と呼ばれた数々の選手は熱狂的なサポーターからの重圧もあり、代表で思うような活躍ができないままピッチを去っていった。

22年のカタールW杯の決勝戦。アルゼンチン代表がPK戦の末にフランス代表をくだして優勝を決め、リオネル・メッシが高々と優勝トロフィーを掲げるまでに、実に36年という時間を要した。誰よりもアルゼンチン代表を愛し、誰よりもアルゼンチン国民から愛されたマラドーナが亡くなってから、約2年後のできごとだった。

長期低迷が続いたアルゼンチンサッカーと重なるように経済は相変わらず浮き沈みが激しく、通貨安や高インフレ、債務問題といったテーマは36年後の現在もまったく変わっていない。22年、W杯優勝を受けてブエノスアイレスは熱狂の渦に包まれたが、束の間の歓喜が目の前の厳しい現実を和らげることはない。問題の本質を直視せず、鬱屈とした気分を一掃してくれる「救世主」を求める国民気質こそがマラドーナを神たらしめたが、経済にも政治にも救世主はいない。１９８６年のW杯優勝後も、アルゼンチン経済はしばらく低迷が続いた。

「アルゼンチンの奇跡」から冬の時代へ

「失われた10年」と呼ばれる１９８０年代で衰退が進んだアルゼンチン経済が息を吹き返すのは90年代まで待つ必要があった。89年には軍政のクーデターにより政権の座から追いやられたペロン党が復権し、カルロス・メネムが大統領に就任した。91年にＩＭＦがアルゼンチン向けの支援を承認すると、翌92年に1ドル＝1ペソとする、「ドル本位制」とも呼ぶべき金融政策を採用することで通貨安を強引に抑え込み、インフレを抑制した。

シリア系移民の家庭に生まれ、行商の一家の一員として育ったメネムは労働者層を支持基盤とするペロン党の出身ながら、経済開放路線を志向。国営石油公社や電話公社、水道、航空会社などあらゆる国営企業の民営化や石油権益の売却など、経済構造改革を次々と実施した。政府債務が膨れ上がる中、増税による国民負担の増加を和らげるための次善の策だ。支持母体である労働組合は嫌がったが、メネムはストライキに悩まされながらも、こうした改革を断行した。

国連は99年に発行したリポートで、民営化に代表される一連の改革について「生産性を高め、サービスの範囲や質を改善させ、財政に（正の）インパクトを与えた」と評価した。海外からの投資も復活し、メネムの就任翌年の90年から退任した99年までの経済成長率は平均で4％を超えた。マイナス成長が続いた80年代からの復活は、「アルゼンチンの奇跡」と呼ばれ、ＩＭＦ主導の経済再生モデルとして世界中から注目を集めた。米国を代表する投資家ジョージ・ソロスもこの時期に不動産会社を設立し、ショッピングモールや農地に巨額の投資を実施している。

もっとも、脆弱な経済構造が抜本的に変わったわけではない。94年末から95年にかけメキシコ通貨危機が発生すると、周辺国の通貨が一斉に売られ、余波がアルゼンチンにも波及。失業率は一時20％近い水準にまで高まった。その後も98年のロシア金融危機など、世界的な経済危機が起きるたびにアルゼンチン経済は揺さぶられた。

人為的に1ドル＝1ペソに為替レートを固定し「強いペソ」を演出する手法も、実態は問題の先送りにすぎなかった。ペソを維持するため、有事のたびに為替介入を繰り返した結果、外貨準備高は目減りし、ＩＭＦから支援融資を受けることで目先の危機を乗り切るという対症療法を繰り返した。輸出品目が重複するブラジルが99年に変動相場制に移行すると、相対的にペソの割高感は強まり、輸出の伸び悩みという副作用も大きくなった。

また、構造改革のペースも次第に鈍り、基礎的財政収支は黒字が定着しない一方、経常収支は赤字が恒常化。メネム政権末期は経済成長も止まり、失業率も上がり続けた。復活したアルゼンチン経済の春の期間は長続きせず、再び冬の時代を迎えることになる。

2001年、史上最大の破綻

経済危機がピークを迎えたのは2001年12月のデフォルトだ。例年であれば12月に入ると南米ではクリスマス休暇を前に休暇ムードとなるが、当時の新聞は連日のようにアルゼンチンの債務危機を大きく報じていた。IMFなどからの借り入れで政府債務は膨張し、仮に破綻となれば既にアルゼンチン一国で終わる規模ではなくなっていた。12月17日付の日本経済新聞は「アルゼンチン経済危機、国際金融市場の焦点に」と伝えている。

1990年代後半からアルゼンチン経済が再び不調に陥っていたことは前述の通りだが、2000年代に突入するとさらに状況は悪化していた。アルゼンチン政府は外貨準備を取り崩して返済する方針を示したが焼け石に水の状態で、財政問題が下火になることはなかった。政府は利払い負担を低減するため政府債務の借り換えを国内外の金融機関に要請したが、窮地に陥っていることが白日の下にさらされ、市場金利は上昇した。

メネムの後、ペロン党からの政権交代を果たし2年前に就任したデラルア大統領は11月にニューヨークを訪問し、「我々は約束を尊重する。デフォルトや通貨の切り下げはない」と宣言したが、12月20日には任期2年を残して辞任を表明。後を継いだロドリゲス・サー暫定大統領は23日、就任早々公的対外債務の一時支払い停止を宣言し、デフォルトに突入した。公的債務の総額は1300億ドル（約16兆7700億円）を超え、当時としては史上最大の破綻となった。

アルゼンチンのデフォルトの影響は南米のみならず、世界中に広がった。政府に融資をしていた欧州系の金融機関が巨額の損失を被ったほか、高利回りにつられアルゼンチン国債に投資していた投資家も火傷を負った。地球の反対側に位置する日本も他人事ではなかった。青森県教育厚生会、港北ニュータウン生活対策協会、三重県信用漁協連合会――。当時の新聞を読むと、日本全国の自治体の外郭団体や公共団体などがアルゼンチン国債への投資で巨額の損失を負ったことが連日のように報じられている。30000人を超える個人投資家も投資していたとされ、日本におけるアルゼンチンのイメージ悪化にも大きく貢献した。その後、私の赴任中もアルゼンチンはデフォルトを起こしたが、取材する中で「逆に金利を払った方がニュースだ」という軽口を叩く専門家すらいた。慢性的に財政難が続く中、アルゼンチンとデフォルトは切っても切り離せない関係となっている。

アルゼンチン国民にとり、01年のデフォルトは1982年のフォークランド紛争に次ぐ「敗戦」として記憶に刻まれている。デフォルト翌年の02年の経済成長率はマイナス10・9

IMF への抗議デモ（ブエノスアイレス）

％。金融危機後の09年（マイナス５・９％）や新型コロナウイルスの影響で経済が止まった20年（マイナス９・９％）をも上回る減少幅だったことを考えると、デフォルトの傷痕がどれだけ大きかったかうかがい知れる。もっとも、フォークランドのように英国というわかりやすい敵がいるわけではない。多くの市民にとって、「敗戦」の憤りをぶつける相手は、巨額の資金を貸し付けたＩＭＦだった。

ＩＭＦは国際連盟の専門機関の一つで、米国ワシントンに本部を置く。日本ではたまに日本政府の債務に警鐘を鳴らしたり、定期的に世界経済の見通しを発表したりする程度で馴染みは薄いが、アルゼンチンやインドネシア、韓国など財政危機を経験した国ではその存在感は大きい。ブエノスアイレスの町並みを歩くと、「ＦＭＩ（ＩＭＦのスペイン語表記）は出て行け！」などと書かれた張り紙を目にするし、街頭デモを取材すれば反ＩＭＦを掲げる人々によく出くわした。アジア通貨危機後のインドネシアでも、国民の反ＩＭＦ感情が暴動のきっかけとなり、98年のスハルト政権崩壊につながったとされる。

なぜ、これらの国でＩＭＦが嫌われるか。それはＩＭＦの業務の一つである、融資による支援が理由だ。先ほど、フォークランド紛争で財政難に陥ったアルゼンチンがＩＭＦからの支援を受けて経済を立て直した様子を紹介したが、この「支援」は構造的に火種を抱える。ＩＭＦは無条件で資金を貸すのではなく、融資返済に向けたプログラムを策定し、実行するように求めるからだ。

アルゼンチンの場合、メネム政権下で実施された国営企業の民営化などがそれにあたる。非効率的な企業運営を見直し、民間資本を導入することで経済を活性化するというＩＭＦの描くシナリオは経済学的には王道だが、人員削減は失業者の増加につながる。また、融資条件として財政赤字を抑える目標が課せられる。つまり、緊縮財政路線は公的支出による雇用の下支えを失うことに直結する。現に、「アルゼンチンの奇跡」と呼ばれ成長軌道を取り戻した90年代の失業率はほとんど10％を上回っていた。「失われた10年間」だった１９８０年代の失業率が１桁だったことを思えば、ＩＭＦに強いられる改革路線に反発を覚える市民がいるのは当然のことだ。

01年のデフォルト後、アルゼンチンでは１ドル＝１ペソの固定相場制が維持できなくなり、

02年2月に変動相場制に移行した。通貨安を抑えるため、IMFが課す財政健全化政策はさらに強化された。歳出削減のための税制改革により補助金は削減され、増税や免税措置の撤廃も実施された。財政赤字を減らすことで通貨の信認を取り戻すというマクロ経済学の基本に則った政策だが、景気が低迷する中でも景気刺激策は打たれず、市民生活は苦しくなるばかり。怒りの矛先は必然的に政府とIMFに向かうことになる。

アルゼンチンに限った話ではないが、市場経済下での国家の財政政策は複雑で分かりにくい。IMFが融資しなければ固定相場制を維持できず、市場の圧力により破綻が早まっていただけであることは自明の理だが、こうした仕組みを理解できる市民の数は限られた。むしろIMFはデフォルト後に融資の返済期限を延長するなど歩み寄りを見せていたが、多くの市民にとって、IMFが敵であるという認識だけが残った。未曽有の経済危機で刻まれた反IMF感情は根深く、20年たった現在もなお続いている。

左派ポピュリズム政権の誕生

IMFの支援にも関わらず、混乱状態のアルゼンチン経済は悪化の一途をたどった。国の将来を悲観して銀行から預金の流出が続く中、2002年4月には銀行の営業が停止。ドゥアルデ大統領は「金融システムは崩壊の危機に直面している」として理解を求めたが、預金者は財産権の侵害だとして反発した。

銀行が営業を停止したことで、企業は通常の経済活動はおろか、給与の支払すらできなくなった。浮き沈みが激しいとはいえ、南米でブラジルに次ぐ経済規模のアルゼンチンには進出している外資系企業も多い。混乱により、多くの外資系企業が多額の損失を負った。中銀総裁や財務相が次々と交代するなど、経済・金融政策のかじ取りもままならない泥沼の様相を呈した。

国技であるサッカーにも影響は生じた。02年の日韓W杯の開幕を前に、チームの指揮を執っていたビエルサ監督は給与の未払いを告発。サッカー協会はドル建ての契約にも関わらず給与をペソで払うと一方的に通告し、騒動は世界中のメディアで取り上げられた。情熱的な応援で知られるサポーターも経済難には勝てず、多くが日本へのフライトの断念を余儀なくされた。

スウェーデンやイングランド、ナイジェリアという強豪国と同じ「死の組」に配置されたアルゼンチン代表は1勝1敗1分けという成績で、決勝トーナメントに残ることができずに帰国することになった。予選敗退という結果に、行き場のない市民の怒りが爆発。中部コルドバ州では怒ったサポーターがショッピングセンターの窓ガラスを破壊し警官隊に鎮圧されるという事態も発生した。

連日のように反政府デモが発生しドゥアルデ政権の求心力がなくなったことが明らかな中、ドゥアルデは「国民の信を得た強い政権が必要」として、03年9月に予定されていた大統領選を半年前倒しすると発表。経済混乱でペロン党が分裂状態の中で行われた大統領選では、かつて改革路線で経済を立て直した実績を誇るメネムとサンタクルス州知事だったネストル・キルチネルが争う状況となった。

当初、ドゥアルデの後継者として中道左派とみられていたキルチネルだが、選挙戦が進むにつれ、国民の反IMF感情におもねるかたちで、メネムの進めた新自由主義的な経済政策に対する批判的な発言を重ねるようになる。勢いに乗るキルチネルに勝てないと悟ったメネムが決選投票への出馬を辞退すると、キルチネルは「彼のような大企業の奴隷にはならない」と発言。鉄道や石油産業の再国営化を宣言し、国内の中小企業や債権者を保護する姿勢を明確にするなど、急進左派色を強めた。

03年5月の大統領への宣誓式では「国民に貧困や社会対立を引き起こさせてまで債務を返済するわけにはいかない」と明言し、IMFとの対決姿勢を明らかにした。ペロン以来、約30年ぶりの本格的な左派ポピュリズム政権の誕生だが、通貨安や債務問題を抱え、失業率は20%を超えるなど課題は山積。波乱の中の船出となった。

奇跡的なV字回復

債務返済の拒否を宣言し、海外の投資家や企業から冷ややかな視線を向けられたキルチネル政権だが、大方の予想に反して経済は上々の滑り出しとなった。変動相場への移行でペソ安が進んだことで、輸出競争力が回復。2003年の輸出は前年比16％増となり、その後も2桁成長が続いた。1次産品の価格上昇という幸運に恵まれたことも大きい。当時、中国の成長を背景に、アルゼンチンの主要輸出品目である農畜産物や鉱物資源の価格が軒並み高騰。通貨安も加わり、アルゼンチンの輸出産業は息を吹き返した。

キルチネル政権がＩＭＦの助言を無視し、緊縮財政路線を放棄したことも国内消費を後押しした。03年の経済成長率は前年比9％増、04年は8・9％増と、過去最悪とも言われた、デフォルト後の不況からのＶ字回復を果たした。

ガソリン価格への介入や食肉価格の統制、公共料金の値上げ停止、低所得者層への現金給付など、キルチネルがとった政策はどれもＩＭＦが求める改革路線とは正反対だ。しかし、国民の4割が貧困層となり経済低迷に苦しむ中、こうした大衆迎合的な政策は歓迎された。キルチネルは国民からの圧倒的な支持を背景に、債務返済を求める海外の債権者の姿勢を「（アルゼンチン）国民に対する大量虐殺を意味する」と批判し、強欲な海外資本家からの搾取と戦うリーダーを演じた。ワシントンのアルゼンチン大使公邸や郵便公社の海外口座など、海外の政府資産を借金の担保として凍結されるトラブルもあったが、逆にアルゼンチン国民の団結心を高めた。

輸出主導の景気回復が進む中、自信をつけたキルチネルは04年末に債権者に対し、元本の7割以上の削減を要請。これに応じない海外の投資家を無視したまま、05年には「デフォル

ト は終了した」と一方的に宣言した。そして06年にはＩＭＦに対する債務を一挙に全額返済する荒業で世界を驚かせた。

主要債権国との債務問題は棚上げになったままで、価格統制による経済の歪みやエネルギー不足など数々の問題を抱えていたものの、デフォルトで傷んでいたアルゼンチン経済は復活を果たした。国民的な人気を誇ったキルチネルだが、07年の大統領選には出馬せず、妻のクリスティナ・フェルナンデスを後継者に指名。対抗馬が乱立する中、クリスティナは１回目の投票で2位以下の候補に大差をつけて当選を決めた。

ＩＭＦや海外の投資家の助言を無視し、市民に手厚い補助を行った左派政権が経済を立て直したという記憶はアルゼンチン国民の脳裏に深く刻まれることになる。クリスティナは「我々は今日の民主主義を高く評価している」と勝利宣言し、ＩＭＦの「支援」は民意に基づかないものだと喝破した。この勝利から本書を執筆中の２０２３年に至るまで、アルゼンチン政界の主役はクリスティナであり続けた。

国内に敵なし、クリスティナ政権

クリスティナが大統領選で大勝した最大の理由は、夫のキルチネルが果たした経済再生であることに異論はないだろう。しかし、クリスティナの強みはそれだけではない。当時の日本経済新聞は54歳で大統領になったクリスティナについて、「女優のように長くパーマをかけた髪をなびかせ、大胆な花柄や光沢生地のスーツを着こなす。政治家としてだけではなく、容姿やファッション、化粧まで話題になった」と紹介する。

アルゼンチンという国は何につけても「華」を大切にする国だ。サッカースタジアムでは選手たちはゴールを決めるだけでなく、華麗なドリブルで相手を抜くことが求められる。これは政治の場でも変わらない。国のリーダーはコツコツと仕事をこなすだけでなく、華々しいアピール力が要求される。

自分に都合の悪い話は聞かない、データに向き合わない、好き嫌いで人をえり好みする――。私がアルゼンチンで取材した官僚や進出する海外企業、外交官からの評判を聞く限り、政治家としての実務能力には疑問符がつくクリスティナだが、市民に対するアピールという点では群を抜いている。ファーストレディーになる前は上院議員としてのキャリアも積んでおり、ひとたびマイクを握れば弁舌巧みに聴衆を惹きつけた。

クリスティナは実の父親に認知されず、アルゼンチン社会において恵まれているとはいいがたい出自から這い上がった自身の経歴を、自らが属するペロン党の創設者であるペロンの妻であり、国民的なスターとなった「エビータ」ことエバ・ペロンに重ね合わせていた節がある。貧困層や低所得者層を重視する政策を採るのも、それが自らに求められる役割であると理解していたからだ。２０１２年には、エバを紙幣に採用している。

経済界からの評判は芳しくなかったクリスティナだったが、カメラの前でどう振る舞えば国民の支持を得られるのかを常に意識することで難局を乗り切った。財源確保のために大豆の輸出税を引き上げると表明したことで農畜産業団体から大規模デモを受けたが、「所得再分配」計画と銘打ち、増税により得られた税収のうち一部を病院建設や公営住宅の整備など貧困事業にあてると表明。09年の中間選挙で与党が敗北すると、人気取りのためにプロサッカー一部リーグの放映権を政府が買い取り、国営放送で無料放送することを発表した。契約の署名式には同国の代表チームの監督に就任した、「D10S（神様）」ことマラドーナも出席し、国民の耳目を集めた。

加えて、クリスティナのカリスマ性を確固たるものに押し上げたできごとが、就任から3年目の10年に起きた、夫であり前大統領であるキルチネルの死去だ。60歳という若さで、次期大統領選での再出馬も目されていただけに、心臓発作による急死はアルゼンチン国民にとって大きな衝撃を与えた。クリスティナはこの後、3年にわたり公の場では喪服を通した。重要閣僚の相次ぐ離脱などで逆風下にあったクリスティナ政権だったが、高成長を実現した夫の威光を最大限利用するしたたかな姿勢で支持率を回復させた。

中国での需要増加に伴う資源や食品価格の価格上昇という追い風に恵まれたこともあり、11年の大統領選ではクリスティナは大差で圧勝し、再選を果たした。地元紙クラリンは「クリスティナは宣誓式でも喪服を維持した」とする記事を掲載。政策と同レベルで服装が注目される状況を作った時点で、既に国内政界に敵はいなくなっていた。

ひさびさの右派政権誕生へ

夫の急死というアクシデントすら好機に変えて再選を果たしたクリスティナに、資源ブームという追い風も吹く。経済は成長し、デフォルト後に40％を超えた貧困率は右肩下がりで減少。２期目が始まった２０１１年には９％と、１桁台に突入した。この時点で、左派政権の「成功」は明らかだった。

もっとも、強引な政権運営には弊害も目立つようになる。12年には突然、スペインの石油大手レプソルの傘下となっていた石油会社ＹＰＦを国有化すると発表。ベネズエラのチャベス政権に代表される、南米左派政権の常套手段だが、かつてのメネム政権下で進んだ民営化に逆行する動きで、国を挙げた財産権の侵害は欧米企業の投資意欲を削いだ。当時、アルゼンチンに留学していた朝日新聞の岡田玄前サンパウロ支局長に話を聞くと、外貨を確保するため、銀行口座への海外からの送金の一部を国庫に入れて、翌年に利息をつけて返すという仕組みを一方的に適用するといった、おおよそ近代国家らしからぬ運用も行われていたという。

資源高や食品価格の上昇にあぐらをかき、財政や経済構造の改革を怠ったツケも表面化し、キルチネル時代からの看板だった経済成長にも陰りが見えるようになっていた。12年にはインフレに対する抗議で、大規模なデモが発生。政府が10％程度と発表していた物価上昇率は実態を反映しておらず、実際は20～30％だとされた。経済成長率も粉飾しているとの疑惑が浮上し、ＩＭＦのラガルド専務理事は経済統計の操作について「すでにイエローカードを出した。改善しなければレッドカードになる」と警告した。

これまでのアルゼンチンで見られたように、自国経済に対する信頼がなくなると、市民はペソをドルに替えるようになる。クリスティナ政権は両替の制限で自国通貨の流出を抑えつけようとしたが、市民も慣れたもので、闇市場で交換するため、公定レートと闇レートの二重相場はさらに開いた。ブエノスアイレスからフェリーで1時間半の距離で行ける隣国ウルグアイの銀行にドルを預け、必要に応じて取りに行くといった行為も一部では定着した。

個人間の違法な為替取引はすべて規制できないと判断した当局は企業に公定レートでの取引を強いるようになったが、自動車メーカーなどはこれで部品の輸入が滞るようになり、経済活動が悪化する悪循環が始まった。現地に進出する日本企業の幹部は「この国で商売をしたいなら言うことを聞けという態度で、とてもビジネスを続けられる環境ではなかった」と当時を振り返る。

14年には、01年のデフォルトの後に債権を買い集めていた米国のファンドとの交渉が決裂し、テクニカル・デフォルトの状態に陥った。ファンドを「強欲なハゲタカ」と罵ったアルゼンチン政府だが、好景気の時に債務問題に向き合わず、返済や交渉を怠ってきたツケにほかならない。クリスティナはＩＭＦやファンドがアルゼンチン国民の資産を狙っていると主張することでナショナリズムを煽ったが、経済問題という国民にとっての最大の関心事で期待に応えられない中、支持率は低下の一途をたどった。

そして迎えた15年11月。大統領選の決選投票で、憲法の規定で3選ができないクリスティナが後継者として担いだ候補にブエノスアイレス市長だったマクリが挑み、下馬評を覆して当選。政権交代を果たした。キルチネルが当選した03年以来、12年にわたる夫婦の長期支配はIMFに縛られない分配主導の経済成長という新たな経済モデルの可能性を示したが、実態は資源高と食品価格の上昇といった外的要因に依存したもので、持続可能ではなかった。

ひさびさの右派政権となるマクリ政権の誕生を、経済界や海外の投資家は諸手を挙げて歓迎した。近年のアルゼンチンにおけるポピュリズムの第一人者だったクリスティナの政治生命は尽きたかのように見え、その復活を信じる者は少数派だった。

マクリへの期待で「100年債」が人気

豊かとは言えない出自で低所得者層への分配を重視したクリスティナと、富裕層の家庭に生まれ経済界の期待を一身に背負ったマクリ。あらゆる点で対照的な二人は選挙戦で直接争うことはなかったが、反目し合った。2015年のマクリの就任式に、クリスティナは出席を拒否。大統領のたすきを継承する式典に前任の大統領が欠席するという異様な状況となった。マクリは就任演説で「受け入れがたい貧困率がある」と、クリスティナ政権の失政で経済が低迷したと批判した。

経済閣僚に米系金融機関で活躍したエコノミスト、エネルギー相に欧州系石油メジャーの現地法人社長経験者と実業家を配置し、前政権の縁故主義を否定し実務を重視したマクリは経済最優先を掲げた。左派政権下で導入された農畜産物への輸出税を減免し、外貨取引規制も緩和し、企業の輸出を奨励した。鎖国的な政策で閉じこもっているのではなく、海外市場に打って出ようというメッセージは経済界のみならず、農家からも歓迎された。

トップセールスマンとしての振る舞いはメディア対応でも同様だった。17年5月、マクリが訪日を機に私を含む日本メディアの共同取材に応じたことがあったが、取材時間の大半を割いたのは経済だった。多忙なスケジュールの中で疲れているようにも見えたが、「是非とも日本企業に投資してもらいたい」と話す時は力を込め、農畜産物の輸出や日本人観光客の受け入れなど、多岐にわたる分野での協力を求めた。投資を増やして雇用を創出できなければ国民からの期待が剝落するということを誰よりも理解しているのは、マクリ自身だった。

期待先行で危ういところもあったが、アルゼンチンで取材をしていると、マクリ政権に対する熱気は肌で感じることができた。17年6月に開催された自動車展示会、ブエノスアイレスモーターショーでは、日米欧韓に加え、中国メーカーを含む世界中の自動車メーカーが巨大なブースを構え、SUVやピックアップトラックなどの新車と投資計画を次々とアピールした。

ブエノスアイレスモーターショー

記者ブースで記事を書いていると、話しかけてきた現地の記者が「モーターショーがこんなに盛り上がったのはひさびさだよ」と喜んでいた。それもそのはず、経済成長への期待から人々は財布のひもを緩め、16年の新車販売台数は前年実績から10%増加。17年に入ってから勢いは加速し、伸び率が年率3割近い世界有数の成長市場となっていた。トヨタ自動車、ホンダ、仏PSA、独フォルクスワーゲン……世界中のメーカーがアルゼンチン市場の成長に賭ける形で投資を表明しており、自動車生産を倍増させるという目標を掲げるマクリを喜ばせた。

アルゼンチンの将来に賭けたのはメーカーだけではない。17年6月、世界中の経済メディアのヘッドラインをアルゼンチンが飾った。償還期限が100年先という超長期の国債

「100年債」をアルゼンチン政府が発行したところ、27億5000万ドル（約3115億円）の発行額に対し、約3・5倍の申し込みが殺到、瞬間蒸発したのだ。

利回りは約7・9％と魅力的な水準ではあるものの、米S&Pの格付けは投機的等級に相当する「シングルB」。世界的なカネ余りという事情はあったものの、過去200年で8回のデフォルトを起こしている国への投資ブームはマクリが率いるアルゼンチンという国への過剰な期待を映し出したものだ。「アルゼンチンの100年債への殺到は投資バブルを示す」。英紙FTは皮肉を交えて、この騒動を伝えた。

「左派政権に戻るよりはマシ」

一方、アルゼンチンへの投資ブームに沸く企業や投資家に比べると、市民生活に劇的な改善は見られず、むしろ苦しくなった人たちもいたというのが実情だ。100年債を発行した2017年6月の時点で物価上昇率は年率20％台。失業率も8・7％を超え、依然として高い状況だった。為替規制の撤廃や開放経済への転換で製造業の投資を呼び込もうとしたものの実体経済の回復が追いつかず、一方で公共料金への補助金の削減は低所得者からの反発を招いた。マクリ氏に期待して投票した国民にとっては、改革の恩恵よりも痛みが先行している状況だった。

しかし、それでもアルゼンチン国民はマクリを信じた。中間選挙にあたる17年10月の議会選ではマクリが率いる与党カンビエモスが議席を増やした一方、クリスティナが選挙のために立ち上げた左派政党「市民連合」は政党得票率で与党に2倍近い差をつけられた。クリスティナ自身、与党候補に4ポイントの差をつけられ敗北し、「敵を乗り越えられなかった」と言葉を詰まらせながらの敗北宣言となった。

対照的に、私が取材した与党の選挙集会はお祭り騒ぎだった。スクリーンに全国各地の当選状況が次々と映し出されるたびに音楽が鳴り、マクリが「我々は歴史を変える世代だ」と演説すると建物内にわれんばかりの歓声が響いた。最後はマクリを含む与党の幹部やスタッフが壇上にあがって音楽とともに踊るという様子だった。何かあるとすぐにダンスパーティーに変貌するのは中南米の文化だが、国民が痛みを伴う改革を支持しているという事実は、与党陣営を励ます内容だった。

街中で取材していても、「政権交代による恩恵より負担の方が大きい」という恨み節を聞くことも多かったが、海外企業による投資計画など明るい話題も増え、将来への期待感が大衆迎合的な政策を掲げる左派への回帰を防いだかたちだ。当時の南米では、ベネズエラの経済崩壊が大きく報じられており、「再びクリスティナが権力を握れば、ベネズエラのようになる」という与党陣営のキャンペーンが効果を発揮したという側面もあった。

もっとも、マクリの改革を手ぬるいと指摘する専門家も多かった。サンパウロ大学のフェルドマン教授は「インフレ対策や税制改革、製造業の近代化などマクリ政権が取り組むべき課題は多い」と指摘し、よりスピードを速めるべきだと説いた。マクリは経済回復をさせながら財政を徐々に立て直す「グラジュアリズモ（漸進主義）」と呼ばれる政策を取っていたが、そもそもの通貨安の要因となっていた財政赤字と経常赤字の「双子の赤字」は解消されておらず、思い切った手を打つべきだとの声は多かった。しかし、記者としてアルゼンチン各地を回り市民の声を聞いて回った限り、仮にあれ以上のペースで改革を進めていたら、中間選挙での勝利はなかっただろう。就任直後に70％を超えたマクリの支持率は一時30％近くまで落ち込んでおり、中間選挙でも「左派政権に戻るよりはマシ」という理由で選ばれただけだ。大統領選と議会選が2年ごとにあり選挙で国民の審判を仰ぐ状況で、国民に痛みを伴う抜本的な改革というのは難しい。ポピュリズムからの脱却を一歩進めたマクリだったが、数字以上に薄氷の勝利だったように私には見えた。

リチウムと石油・ガスへの期待

選挙戦で勝利したマクリは休む間もなく、硬直的だった年金制度を見直したほか、公務員の人員削減や給与抑制を含むリストラ案を発表するなど、痛みを伴う改革を推進した。当時、出張でブエノスアイレスを訪れるたびに抗議デモやストライキによる交通渋滞に巻き込まれて閉口したものだが、大半の市民は冷ややかな視線を送っており、これまで左派政権下で既得権益にあずかっていた労働組合による「最後の悪あがき」という評価だった。

長年にわたる政治の迷走にも関わらず南米2位の経済国であるアルゼンチンのポテンシャルを評価する声は日本企業の間でも多く聞かれた。サンパウロでブラジル商工会議所のイベントに顔を出すたび、ブラジルに進出する日本企業の幹部から「アルゼンチン経済は実際の所どうなの?」と質問攻めに遭い、実際にアルゼンチン市場への参入や駐在員の増員に踏み込む企業も現れた。

アルゼンチン政府もこうした期待に応えようと2018年2月、01年にデフォルトした円建て外債(サムライ債)について、保有者に元本の150%を支払う和解案を示した。ブエノスアイレスで取材に応じたバウシリ金融副大臣は「アルゼンチン政府は日本を含む諸外国との関係改善を進めており、今回の提案もその一環だ」と話し、アルゼンチンに対する不信感を取り除こうとする意図は明らかだった。

日本企業を対象とした投資誘致セミナーにも熱心で、ブエノスアイレスで開いたセミナーではエネルギー・鉱業省のレドンド副大臣が「今後、チリやペルーと遜色ない水準まで環境を改善する」とアピールし、アルゼンチンの鉱物開発の現場を視察するツアーまで組む至れり尽くせりぶりだった。

アルゼンチンが天然資源に恵まれていることは紹介したが、中でも期待が大きかったのが、リチウムと石油・ガスだ。電気自動車(EV)の基幹部品であるバッテリーに欠かせないリチウムは南米に資源が集中しており、アルゼンチンも屈指の埋蔵量を誇る。高度4000メートルの高地にあるオンブレ・ムエルト塩湖を取材する機会に恵まれたが、視界いっぱいに塩湖が広がる中、米国企業が生産能力倍増のための造成作業を行っている最中だった。同塩湖から約200キロメートル離れたオラロス塩湖では、豊田通商が参画するリチウム製造プロジェクトが立ち上がっていた。

石油・ガスでもアルゼンチンに対する期待は膨らむばかりだった。同国中部のネウケン州には、世界最大級の埋蔵量を持つシェール鉱区「バカムエルタ」が存在する。推定埋蔵量は石油が162億バレル、天然ガスが308兆立法フィートと、当時シェールブームに湧いていた米テキサス州パーミアン鉱区と比較されることも多かった。取材のために訪れると、どこまでも続く、赤茶けた乾いた大地の中、砂ぼこりを巻き上げて大型トラックが行き交い、道ばたには山のように高く鋼管が積まれていた。道路の脇ではあちこちで掘削機が地面を掘り、試験中の坑井が火を噴くという、資源開発の熱気を肌で感じることができた。

空港がある州都ネウケンから自動車で2時間も走ると、小さな街を取り囲むように周辺部に資材置き場やプレハブ小屋が立ち並ぶ光景が広がる。かつて砂漠のオアシスとして栄えた小さな街のアニェロは「シェールの首都」と呼ばれ、シェール開発の拠点として空前のにぎわいをみせていた。人手不足から現場で働くエンジニアの年収は最低賃金の20倍で、レストランには投資の検討にきたという、英語で話すスーツ姿のビジネスマンが散見された。ホテルなどの宿泊施設は出張者で埋まり、プレハブ小屋で寝泊まりする作業員も多い。リチウムやシェールだけでなく、製造業でも投資計画を発表する企業が相次いでいた。マクリ政権とアルゼンチンの未来を信じて疑わない、そんな雰囲気が国中に充満していた。

「落ちてくるナイフはつかむな」

復活に向けて順調に歩みを進めているかのように見えたアルゼンチン経済だったが、薄氷を踏み抜くようなできごとが突然発生した。２０１８年5月、「アルゼンチンの中央銀行が政策金利を3％引き上げ」というニュースが地元メディアのヘッドラインを飾る。当時のアルゼンチンの金利は年利20％台後半。歴史的な経緯もありアルゼンチン国民が自国通貨を信用していないことはこれまでも書いてきたが、マクリ政権下でもこれは変わらなかった。中央銀行は資本の国外流出を防ぐため、金利を上げてつなぎ留めている状況だった。

日本のような低金利国に住んでいると、3％という引き上げ幅は目を疑うような数字だが、アルゼンチンのような高金利国ではそれ自体は珍しいものでもない。問題はタイミングだ。中銀は1週間前の4月27日の金融政策会合で3％の引き上げを実施したばかりだった。これは3％の利上げをしても通貨安を止められなかったということにほかならず、市場がメッセージを発信していることは明らかだった。

そして翌日、市場の異変はのっぴきならないところまできていることが白日の下に晒された。中央銀行は2日連続の利上げで政策金利を6・75％引き上げ、年40％にすると発表したのだ。わずか8日間で、政策金利が12・75％も上がったことになる。単純計算で、銀行に1年間お金を預けているだけで4割増えることになるが、もちろん、そんなうまい話はない。当時のアルゼンチンの物価上昇率は年率25％。なにもしなくてもペソの価値は下落しており、通貨安でその下落ペースが加速することは確実な情勢だった。国民は競って手持ちのペソをドルに替えるようになり、ブエノスアイレスの両替商の前には行列ができた。

通貨下落のきっかけは外的要因だ。当時、米国では長期金利が上昇し、米連邦準備理事会（FRB）が利上げを準備していると伝えられていた。世界的な金融緩和で米国や欧州、日本を含む先進国地域はゼロ金利政策を採っており、少しでも高い利回りを求めて投資家はアルゼンチンを含む新興国に投資してきた。しかし、世界最強の基軸通貨であるドルの金利が上がれば、そもそもリスクの大きい新興国の投資妙味は薄れる。新興国から米国へのマネーの逆流が発生する中、真っ先に標的となったのが、経済が脆弱なアルゼンチンだった。

皮肉にも、マクリが進めた経済自由化も通貨安の一因となった。マクリ政権への期待感から投資を表明する企業は急増したが、17年の海外直接投資の流入額は約119億ドル（約1兆2960億円）と、資源バブルに沸いたクリスティナ前政権のピーク時から2割以上低い水準だ。通貨急落の直前、私の取材に応じたアルゼンチン政府高官は「欧米企業は大々的に投資を発表するが、実行に至るのは一部だ」と愚痴をこぼしていた。本当に改革路線が続くのか、次の大統領選まで様子見する企業は少なくなかった。

投資が伸びず輸出産業の育成が進まない中での経済自由化は、貿易赤字の増加という副作用も生んだ。輸出が横ばいの中で輸入が前年比20％増となり、17年の貿易赤字は82億９０００万ドルと過去最大に。経常赤字も国内総生産（ＧＤＰ）比で４・８％と、20カ国・地域（G20）の中でトルコに次いで悪い水準だった。

市場の格言に「落ちてくるナイフはつかむな」というものがある。相場が急落する局面でリスクを取って買いに向かうのではなく、ナイフが床に落ちてから、つまり底を打ったことを確認してから投資すべきだという意味だ。アルゼンチンという国が通貨下落に翻弄され続けた歴史を持つことはこれまで紹介したとおり。企業も国民も急落時にはナイフをつかもうとはせず、逆に手持ちのペソをドルに替え続けた。マクリ政権にとって拠り所である、「経済に強い」というイメージは、中銀の緊急利上げから１カ月もたたずに剝落しつつあった。

自由開放路線との決別

２０１８年7月、私はブエノスアイレス大統領府の近くに位置する財務省にいた。取材相手はグイド・サンドレリス財務副大臣。英ロンドン・スクール・オブ・エコノミクスや米コロンビア大で学び、世界銀行などで勤務したエリートであるサンドレリスはアルゼンチン経済に対する悲観論一色だった海外メディアに対する説得役として汗をかいていた。

「アルゼンチン国民はこうした（厳しい経済）状況を理解している」「我々は正しい方向に進

んでおり、ＩＭＦと協力して左派政権におけるゆがみを正していく」。財政再建の計画については詳細な数字を用い、コンサルタントやエコノミストのように理路整然と話すサンドレリスだったが、彼らの挙げる数字と実態経済の差について質問すると、顔を曇らせた。通貨下落を境にブエノスアイレス中心部でも目に見えてシャッターを閉める店舗が増え、ホームレスや物乞いの姿が目に入るようになっていた。欧米帰りのエリートがどんなに雄弁に語ろうとも、マクリ政権が語っていた経済の復活が曲がり角にきていることは明らかだった。

さらに、世界経済の変調が追い打ちをかける。8月、米国とトルコの外交関係悪化をきっかけに、トルコの通貨リラが急落した。いわゆる「トルコショック」だ。リスク回避で新興国から資金が逃避する中、ここでも真っ先にターゲットとなったのはアルゼンチンだった。トルコから遠く離れて、経済的な結びつきもほとんどないにも関わらず、市場は新興国で最も脆弱な国としてアルゼンチンを名指しし、ペソを売り浴びせた。通貨が暴落する中、アルゼンチン中銀はＩＭＦに支援を要請。同時に政策金利を60％に引き上げたが、為替がコントロール不可能な状況に陥っていると受け止められ、同日の為替市場でペソは前日比10％以上の暴落となった。市民は街中の両替商に行列をつくり、口座に預けている預金を片っ端からドルに替えていった。

自由開放路線の経済政策を掲げることで市場の信認を得てきたマクリだったが、9月に入ると「（足元の通貨安は）我々のコントロールを超えている」として、財政再建策のために最

インフレで値札を変える様子

も手っ取り早い手段である、輸出税の導入を発表した。穀物や食肉を輸出するたびに税金を徴収するという世界でもめずらしい制度は、アルゼンチンの左派政権が国際的に競争力のある農畜産業を財布として活用するためのものであり、経済界からの評判は悪かった。マクリ政権が発足直後に撤廃した同制度の復活は、政権の金看板である、自由開放路線との事実上の決別に他ならない。

通貨下落がアルゼンチン経済を蝕んでいることは明らかだった。9月中旬にブエノスアイレス中心部の繁華街、フロリダ通りを歩くと、地場資本のファストフード、モスタザではメニューの価格を書いた店頭の看板を掛け替えていた。輸入物価の上昇に伴うコスト高を反映した値上げだ。アイスクリームを乗せたサンデーの新たな値段は40ペソ（約114

円）で、従来価格から5ペソ増となる。実に12・5％の値上げとなる計算だ。隣のマクドナルドでも、日替わりメニューを10ペソ値上げしたばかり。ほかの個人経営の飲食店では看板に新たな値段を記したシールを貼っていた。

「どこも値上げばかりで、外食なんてできない」。近くのスーパーでは、30代の女性がため息交じりに調味料の値段を調べていた。この女性の給料は1年間で25％上がったが、物価上昇率がこれを上回り、実質所得は約1割目減りしたという。年率30％を超えるインフレの中、食卓に欠かせない小麦粉は既に1月から7月にかけて9割上昇。ガソリンも3割近い値上げとなっていた。悪性インフレが止められない中、反マクリ感情が国中を覆うようになっていた。

マクリへの批判高まる

通貨下落に歯止めがかからない中、マクリが頼ったのはＩＭＦだった。利上げをはじめとした金融政策による通貨防衛に効果が出ないため、ＩＭＦから融資を受けて財政の持続可能性を国内外に示すことで通貨の信認を取り戻すことが政権にとっての最重要課題となったためだ。交渉役となったドゥホブネ財務相はＩＭＦのラガルドの要求に従い、財政赤字の圧縮を約束した。

もっとも、経済が悪化する中での財政健全化は公的支出の削減を意味し、政府部門や建設部門などで失業者の増加を招く。短期的に経済にとってはマイナス要因だ。我々の取材に応じたアルゼンチンのシンクタンク、マクロビューのパブロ・ゴルジンディレクターは「今後1年間、経済は3～4％縮小するだろう」と悲観的な見通しを示した。経済が縮小する中、中間層の人々は手持ちの貴金属を売ったり、副業をしたりすることでしのぐありさまだった。ブエノスアイレスでの取材で知り合った41歳のバス運転手、セルヒオ・アレハンドロは子供の学費を捻出するため、週末はウーバーの運転手として働いていた。「左派政権に戻るより、マクリ政権のほうが将来に希望を持てる」と話すアレハンドロだったが、こうした意見は既にアルゼンチン国内では少数派となっていた。

9月中旬、ブエノスアイレス市内で大規模な政府批判の集会を取材すると、多くの市民がマクリを批判するプラカードを掲げて参加していた。「マクリ政権が続く限り、医療にまわる予算は減り続ける」。医療機関に勤める29歳のルイス・ナバロがこう叫ぶと、周囲の参加者は喝采を送った。道路を埋め尽くす人々は反マクリの熱気に満ちあふれており、かつて労働組合に動員された人々が義務的に参加するデモとは明らかに雰囲気が異なっていた。

マクリと並んで批判の対象となったのはＩＭＦだ。デモ隊が叫ぶ「ＩＭＦがアルゼンチン国民を搾取している」といった声の背後には、クリスティナ率いる左派の野党陣営がいた。01年のデフォルト後の不況の記憶も残る中、反ＩＭＦは左派が支持を取り戻すための格好のコンテンツだった。

しかし、通貨安にあえぐマクリにとって、ＩＭＦの支援以外の選択肢はなかった。９月26日、ＩＭＦはアルゼンチン政府の要請に応じ、緊急融資枠を拡大すると発表した。ＩＭＦ依存度が高まれば高まるほど、市民の中で反ＩＭＦ感情は大きく燃え盛った。10月に入り、通貨安はやや小康状態となったが、政策金利は70％を超え、物価上昇率は45％を上回る状況となった。マクリの支持率は下落に歯止めがかからなくなり、メディアでは1年後の次期大統領選にクリスティナが出馬する可能性があると騒ぎ立てた。世界中の企業や投資家が熱狂した、アルゼンチン経済の復活は遠い過去の話となりつつあった。

裏目に出たＧ20ブエノスアイレス・サミット

２０１５年に大統領に就任したマクリにとって、1期目の仕上げとなるはずのイベントが18年11月から12月にかけてブエノスアイレスで開催された20カ国・地域（Ｇ20）首脳会議だった。世界中のリーダーが集まる場所でアルゼンチン経済の復活を高らかに宣言し、落日の大国だったアルゼンチンを再び世界の主要国として復活させる――。そんなマクリの野望は半年前からはじまった通貨急落により頓挫し、国の威信をかけたイベントにも関わらず、アルゼンチンはすっかり脇役になっていた。

トランプや習近平《シージンピン》、プーチンといった主役に加え、トルコでの記者殺害に関与した疑いの浮上したサウジアラビアのムハンマド皇太子の一挙手一投足が報じられる中、開催国であるアルゼンチンについて取り上げる海外メディアは多いとは言えず、その内容も通貨急落で苦しむ経済に焦点を当てたものばかりだった。

G20のプレスセンターに陣取った海外メディアの記者は口々に、プレス向けに用意されたアルゼンチン料理や飲み放題のワインを褒める一方、雨が降るとインターネット回線がつながらなくなる脆弱なインフラに閉口し、「だから中南米は駄目なんだ」といった口調で腐していた。海外から来た記者たちはG20に合わせて開催されたデモで市民がマクリ政権を批判している様子を取材し、アルゼンチンの混乱ぶりばかりが世界中に伝えられる結果となった。会議終了後、「私たちの進む方向が正しいと認められた」と強がるマクリだったが、国際会議の場でアルゼンチンの復活を世界にアピールするという計画が裏目にでたことだけは確かだった。

結局、18年の経済成長率はマイナス2・6%と、マクリ政権発足以来2度目のマイナス成長となった。物価上昇率は年率50%と高止まり、給与をペソで受け取っている大半の市民にとって、生活は苦しくなるばかりだった。

一方、海外から訪れる人間にとって、アルゼンチンは非常にすごしやすい国となっていた。通貨の下落ペースのほうが物価上昇率よりも早く、外貨建てでは相対的に安く感じるためだ。G20では私の同僚も世界中からブエノスアイレスに集まっていたが、会議の合間や会議後に飲食店に連れて行くたび、日本円やドルに換算して「こんなに安いの?」と驚かれた。高級レストランのステーキですら、ワインと一緒に頼んでも日本円換算で一人10000円程度。ニューヨークで同じ物を食べれば、2～3倍はした。

こうした状況を反映して、経済が落ち込む中でも外国人観光客向けの商売は盛り上がっていた。ブエノスアイレスのレストランではドルやブラジルレアルなど、海外の紙幣で会計をすませる姿もよく見かけた。物価高に苦しむアルゼンチン国民が国民食である牛肉を我慢して鶏肉を食べている間、海外から来た人々が高級店で優雅にステーキやワインを楽しみ、安いと喜びながらタンゴショーやオペラに足を運ぶ光景は「マクリが外国に国を売った」と宣伝する野党にとっては絶好の追い風となった。

消費の低迷、雇用にも波及

もの心ついた頃からデフレの日本しか知らない我々日本人にとって、年率50％を超えるインフレの世界というのは想像が難しい。ベネズエラのように独裁政権の失政でスーパーの棚が空になっているわけでもなく、日常生活は普通に続いていた。当時、私は月1回のペースでアルゼンチンに出張していたが、ブエノスアイレスの中心部だけを見ている限り、表面上は経済が混乱している国には見えなかった。確かにシャッターにスプレーで落書きされた元商店やホームレスや物乞いは増えていたが、中南米では見慣れた光景だ。一方、あらゆるものが値上げを続けているため、訪れる度に財布の中に入っていたアルゼンチンペソの価値が毀損されていくことは肌で感じることができた。「現金を持っていることはリスク」という、現金志向が強い日本人とは真逆の感覚が要求される。

値上げの対象は、公共交通機関ですら例外ではない。2019年5月、ブエノスアイレスの首都を走る地下鉄を取材しようと駅を訪れると、券売窓口には「乗車1回、19ペソ（約47円）」と表示されており、値段の部分はシールで何度も貼り直されていた。市内の大学で働く25歳のミカエラ・デラベンは「毎月のように値上げしているから、今がいくらか忘れたわ」とため息をつく。検索してみると、1年前の3倍になっていた。日本の公共交通機関と同じくICカードに入金する仕組みだが、通貨の価値下落に備えて必要最低限だけにするのが常識となっているという。私が日本に住んでいた頃はSuicaに10000円入金して使い切るまで放置していたと話すと、信じられないという様子だった。

こうした中、マクリ政権は生活必需品約60品目を対象にした価格統制策を導入すると発表。企業側に食用油や小麦粉、コメ、牛乳などの生活必需品の販売価格を半年間据え置くよう要請し、地方自治体にはガス・電気、公共交通などの値上げを停止するよう求めた。かつて市場を歪めるとして批判していた、左派政権の悪癖である価格統制策を復活させたことになる。マクリはインフレが恒常化し市民生活が困窮する中でのやむを得ない措置だと主張したが、これまで進めてきた経済の自由化は既に破綻していた。

インフレに伴う消費の低迷は雇用にも波及する。欧州の自動車メーカーが工場を構える同

フィアットの工場で抗議する人々

国第2の工業都市コルドバを訪れると、平日の昼間だというのに街の中心部は仕事をしない人がたむろっていた。人材紹介会社バイトンの店舗を訪れると、社員が暇そうにパソコンをのぞいていた。「求人がほとんどないから、応募する人もいない」とこぼす。タクシーの運転手は失業率の増加により、治安も悪化したと嘆く。銅像や公園にはスプレー缶でＩＭＦやマクリ政権を批判する落書きが放置されるなど、荒廃した雰囲気を漂わせていた。自動車販売台数は前年実績から半減し、自動車メーカーや部品メーカーがともにリストラに着手。各地で労働争議が勃発していた。

フィアットの工場を訪れると、小雨が降りしきる中、数十人の人々が人員削減などに対する抗議活動を行っていた。「フィアットは詐欺師」と書かれた看板を掲げる人たちからは、「政府から支援を受けておいて、都合が悪くなったらすぐに解雇か」「景気が悪くなるといつもこうだ」といった嘆きの声が聞かれた。

長年の左派政権の産業軽視のツケでアルゼンチンの自動車産業は空洞化が進んでおり、部品や素材は多くを輸入に頼っていた。強固なサプライチェーンを構築しているトヨタ自動車ですら、エンジンや電子部品などの基幹部品は輸入に頼っており、価格ベースの現地調達率は3～4割程度。通貨安はコスト要因となり、販売減と相まって稼働率を落とさざるを得ない状況が続いていた。

下請けはさらに悲惨だ。アルゼンチン部品工業会はルノーが優越的地位を乱用し、通貨安のコスト上昇分を押しつけたと独禁法当局に訴えた。増産に備えて投資をしていた企業も多く、中小企業の廃業も相次いだ。マクリ政権の発足後、一時は海外の部品メーカーからの問い合わせや視察が相次いでいたという工業団地には、進出企業を募集する看板が薄汚れたままかかっていた。

ばらまき合戦の大統領選

当時の取材ノートをめくると、マクリの悪評を集めるのがどれだけ簡単だったかを思い出す。政治信条や立場を問わず、誰もがマクリに不満を漏らしていた。期待が大きかっただけに、誰もが裏切られたと感じていた。つい4年前に左派政権が駄目だからとマクリに国の運営を託したことは、皆忘れようとしていた。

野党のペロン党は民衆の心を巧みに突いた。クリスティナは5月、自らが大統領選に出馬せず、党内でも比較的穏健派であるアルベルト・フェルナンデス元首相を大統領候補として擁立すると発表。クリスティナが矢面に立つことで、自身が抱える汚職や過去の失政のイメージで不人気投票になるのを防ぎ、良くも悪くも国民からの印象が薄いフェルナンデスの看板を使ってマクリを攻撃することで集票につなげる狙いは明らかだった。

もくろみは的中した。8月に行われた大統領選の予備選では、フェルナンデスの得票率が約47％で、マクリの32％に大差をつけて首位で通過した。フェルナンデスは「我々は嘘の時代を終わらせ、新しいアルゼンチンをつくる」と、事実上の勝利宣言を高らかに行った。アルゼンチンの予備戦は足切りであると同時に、税金を使った大規模な世論調査という側面をもつ。10月の大統領選本戦まで2カ月しかない中、マクリがここから巻き返すのはほぼ不可能だと誰もが気づいていた。

マクリに逆転の芽がなくなったことを受け、市民は両替所に殺到した。予備選の翌日、ペソは対ドルで一時、前週末比3割程度下落した。日本円に例えるとたった1日で1ドル＝110円から160円に円安が進んだといえば、実感できるだろうか。2022年、1ドル＝110円台だった日本円が約10カ月かけて一時150円を記録し、国を挙げて大騒ぎしていたことを思うと、当時のアルゼンチンでの通貨安がどれだけ深刻かが分かるだろう。主要株

マクリ政権は通貨安に翻弄された

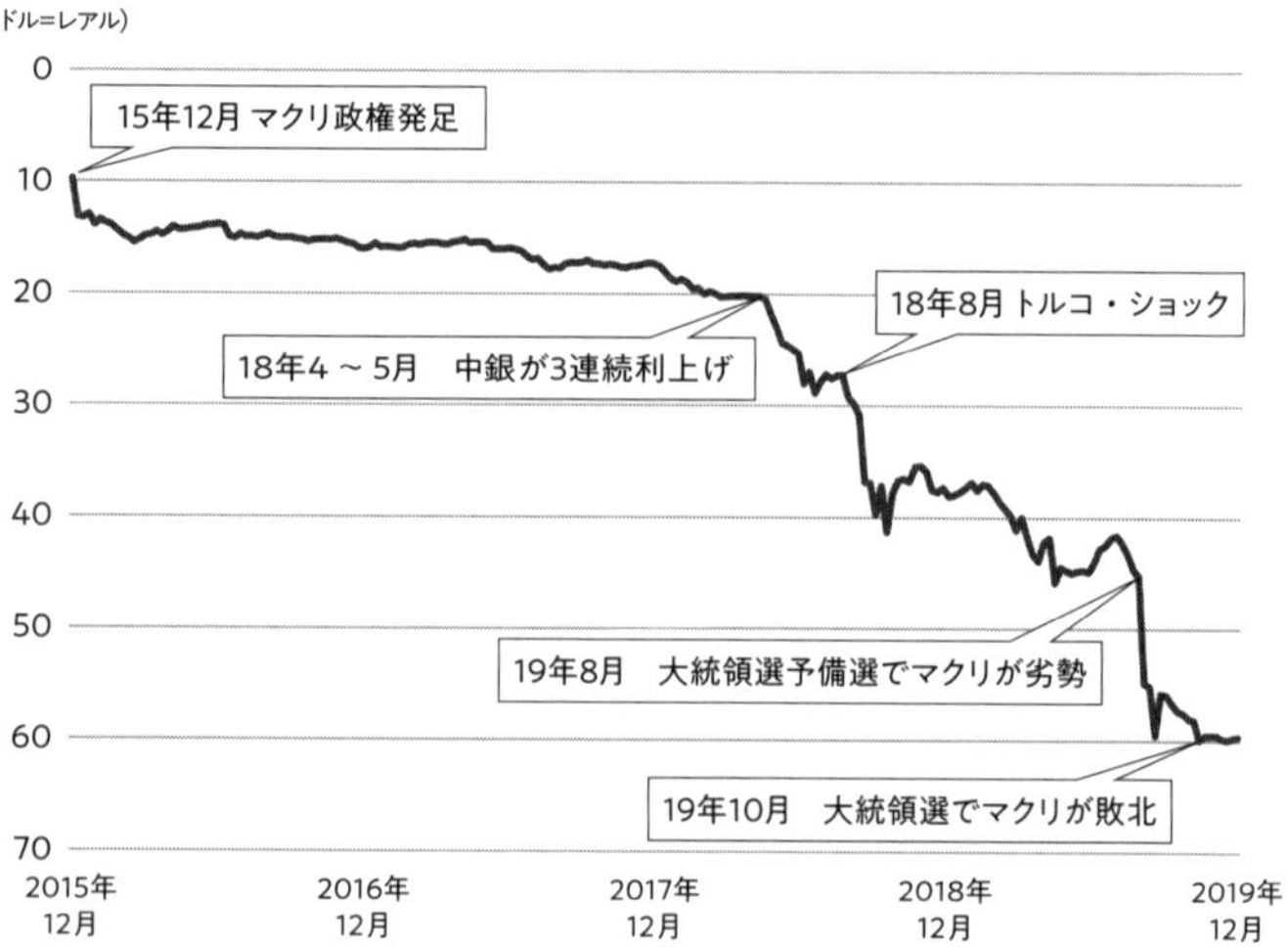

注）公定レート　出所）リフィニティブ

価指数のメルバルも1日で同37％の下落と、パニック売りがはじまっていた。中銀が通貨防衛のため、政策金利に相当する基準金利を10％引き上げたほか、ドル売りペソ買いの為替介入も実施してやや戻したものの、通貨売りの圧力が根強いことを改めて示した。

野党陣営は選挙戦で圧倒的に有利な立場で、攻勢をかけ続けた。フェルナンデスは市場の混乱について「政府が経済について真実を語らないからだ」とし、通貨下落の責任はマクリ政権にあると主張。次期大統領の最有力候補が現実を踏まえた市場との対話に移る気配がないことが通貨売りの最大の要因であることは明らかだったが、外国為替市場の仕組みを理解している国民はほとんどいない。通貨が売られれば売られるほどマクリ政権に対する批判が集まり、結果として通貨が更に売られるという悪循環は加速していた。

追い詰められたマクリがすがったのは、かつて批判してきたポピュリズム的な政策だった。予備選での敗北と通貨急落後、経済対策として発表したのは最低賃金の引き上げやガソリン価格の凍結、減税や公務員への特別一時金などこれまでの緊縮策とは打って変わった大盤振る舞いだった。

マクリの方針転換に対し、市場は失望売りで応じた。一連の経済政策の発表を受け、ペソは前日比8％近い下落を記録し、最安値を更新した。「財源の裏付けがなく、市場の信頼は取り戻せない」「効果は限定的で、末期患者への鎮痛剤だ」――。これまでマクリに好意的だったエコノミストやメディアも、痛烈にマクリを批判した。

大統領の座をほぼ確実なものとしつつあったフェルナンデスも、マクリに対抗するように年金や最低賃金の増額など財政規律を無視したばらまき策を支持者に約束した。大統領選はばらまき合戦の様子を呈しつつあった。

格付け会社フィッチ・レーティングスはアルゼンチンの長期債務格付けを「B」から重大な信用リスクがある「トリプルC」に引き下げた。「債務不履行が現実の可能性として認められる」とするリポートは世界中で広く読まれ、市場関係者や経済界ではアルゼンチンの将来は悲観論一色となった。

企業の脱アルゼンチン、左派政権の復活

大統領選を前に、政権交代を見越してアルゼンチンからの撤退や事業縮小を表明する外資系企業はあとをたたなかった。通貨下落が本格化した２０１８年4月から、通貨ペソは対ドルで約65%下落。パニック的な状況が続き、左派政権の誕生で経済がさらに悪化することが目に見えている中、アルゼンチン経済との心中を選ぶ企業は少なかった。

アルゼンチンで自動車の工場を稼働していたホンダは8月、自動車の生産を停止すると発表した。部品を輸入に頼らざるを得ないため製造コストは割高になるのに、販売台数が半減する市場で利益を出せる企業は限られていた。つい2年前のモーターショーでアルゼンチン市場での事業拡大を大々的に発表していた様子を思い出すと、隔世の感があった。

「Ｌｅｅ《リー》」や「ラングラー」などのデニム製品を製造・販売していた米ＶＦコープ、自動車向けの部材を製造していた米スリーエムも相次ぎ事業の縮小や撤退を発表。こうした状況にも関わらず、次期大統領候補最有力のフェルナンデスは「マクリ政権の経済モデルは不景気や貧困をつくりだした」としてマクリ政権の経済改革路線を否定し、最低賃金や年金の引き上げを柱とした分配重視の大衆迎合策を撤回しようとはしなかった。現地に進出する日本企業の駐在員からは「再びアンチ・ビジネス路線に戻るのであれば、もう付き合いきれない」という愚痴が聞こえるありさまだった。

既に求心力を失ったマクリには改革を遂行する余力はなく、できることは左派陣営に倣ってかつて批判した社会主義的な政策を復活させることだけだった。9月には、外貨の購入を制限する資本規制を導入すると発表。1カ月につき1000ドルを超える個人の両替や企業や法人の外貨購入を許可制とすることで、市民や企業が手持ちのペソをドルへと両替することを規制しペソ相場の下落を防ぐ狙いだが、企業の脱アルゼンチンを加速させるだけだった。

国中にマクリ政権へのしらけきった雰囲気が漂う中、10月の大統領選はすでにやる前から結果が決まったようなものだった。投票日2日前の金曜日、アルゼンチン入りした私がブエノスアイレスの市街地を歩いていると、両替商には長蛇の列ができており、店員が「もうドルがないからこれ以上並んでも無駄だ！」と叫んでいた。平日にも関わらず、仕事を抜け出して両替を希望する人々が殺到していたためだ。両替を終えた男性を捕まえると、「選挙のニュースを見て不安になったから、ドルに替えておこうと思った」と話し、ドルの入ったかばんを大切そうに抱え、足早に立ち去った。市中の混乱を受け、中銀は同日夜、1カ月あたりのドルの購入の上限を従来の10000ドルから50分の1の200ドルに制限すると発表し、個人のドル買いを事実上封じた。

為替規制の網をくぐる闇市場での取引も活発化した。「カンビオ（両替）、カンビオ――」。ブエノスアイレス中心部のフロリダ通りでは、両替を呼びかける声が響きわたる。同所の名

両替所に殺到する市民

物でもあるフリーの両替商、通称「カンビオ・ガイ」たちの呼び込みだ。アルゼンチンでは歴史的に為替取引が制限されると、公定レートと闇レートの2種類が併存するようになる。マクリ政権発足後はレートが一本化されたため、彼らの商売は下火となっていたが、資本規制が導入されたことで、カンビオ・ガイたちが闇レートでの両替を一手に担い、存在感を発揮していた。闇取引では取り引き額の上限規制も無視でき、身分証明書も必要ない。もちろん違法だが、不思議と警察官も見て見ぬふりだ。

あるカンビオ・ガイに話しかけたところ、外国人観光客だと思われたのか、「ドルからペソは大歓迎だ。1ドル=72ペソでどうだ?」と大喜びで私の持っているドルからペソへの両替を持ちかけてきた。付近の両替商のレート（1ドル＝60・5ペソ）に比べ大幅に有利な条件だ。一方、ペソからドルについては「1ドル＝77ペソだ」と、両替商に比べ1割以上高い、強気の姿勢を示す。不利なレートを承知の上で、いますぐドルが欲しいという人々の足元を見た商売だ。国民の誰もがドルを欲しがる中、商売は繁盛していると笑っていた。

多くの国民が自国通貨を信用していないという状況下で行われた大統領選は前評判通り、フェルナンデスが48％の得票率を記録し、当選条件である45％以上の得票率を満たして当選を確実にした。マクリの得票率は40％と事前の世論調査よりは善戦したものの届かず、決選投票を待たずにフェルナンデスの大統領就任と左派政権の復活が決まった。後ほど顔見知りになったカンビオ・ガイに話を聞いたところ、選挙後も闇レートを使ってドルに替える市民が相次いだという。短い開放経済の時代が終わり、再び統制経済がはじまることを市民は予感していた。

都市部に住む白人労働者が政権を揺さぶる

大統領選当日の夜、フェルナンデス当選の速報を出稿すると、私はすぐにペンとノートと一眼レフカメラを抱えてタクシーに飛び乗った。野党ペロン党の支持者を取材するためだ。当選者集会の会場に近づくにつれ、路上にはアルゼンチン国旗を振る人々が増え、路上には即席の屋台が食べ物を、行商がクーラーボックスに入れた飲み物を売っていた。中南米の選挙ではお馴染みの光景だ。

人混みでこれ以上進めないという所でタクシーを降り、ソーセージをパンに挟んだアルゼンチン人の国民的料理であるチョリパンをコーラで流し込んで腹ごなしをして取材に臨んだが、あまりに人が多く、途中で携帯電話が電波をつかまなくなった。南米の中では比較的インフラが整っているブエノスアイレスでは珍しいことだ。それだけ、多くのアルゼンチン国民が家を飛び出し、集会に集まっていた。

サッカーアルゼンチン代表のユニホームを身にまとい、国旗をはためかせる人々を包んでいるのは高揚感だった。人々は口々にマクリやＩＭＦへ悪態をつき、いかにインフレで自分たちの生活が苦しくなったかを語った。一方、具体的にマクリやＩＭＦの何が問題かと聞くと、皆一様に「大企業や投資家を優遇していたマクリがいなくなれば我々の生活が良くなる」「新政権はＩＭＦの言いなりではなく、国際金融システムと戦ってくれるはずだ」と、誰に聞いても、野党陣営のプロパガンダをそのまま咀嚼《そしゃく》せずに繰り返すだけだった。当たり前だが、大企業や投資家に敵対的な政策をとっても雇用が減るだけだし、対外債務を返済しないことで生じる代償を支払うことになるのは国民だ。こうした事情を理解している人はほとんどおらず、目の前のインフレや失業率の増加に対する拒否感が政権交代を実現した。

ここまでは南米の左派政権の支持者であればどの国でもテンプレート通りの内容なのだが、アルゼンチンならではの特色もあった。集会に参加している圧倒的なマジョリティが白人であることだ。欧州の植民地としての歴史を引きずる南米では一般的に白人は富裕層に多く、低所得者層は有色人種が多い。世代を超えて格差が継承されていた証しでもあり、多くの国で左派陣営の集会を取材すればインディヘナと呼ばれる先住民系の人々をはじめ非白人が大半を占める。アルゼンチンの場合、過去に欧州からの入植者である白人がそのまま肉体労働に従事し、労働者階級を形成したことが背景にある。

労働者階級といっても、アルゼンチンでの彼らの暮らしぶりを聞くと他の国では中間層と位置づけられるくらいの人々も多い。文字を読めないような市民が混じっていることもあるブラジルやボリビアなど周辺国の低所得者層に比べ、はるかに良い暮らしをしているように聞こえた。また壮年の人々も多く、話を聞くと、かつて豊かだった過去への郷愁も彼らの政治への関心の高さの一因になっていることをうかがい知ることができた。4年前の大統領選では変革への期待をマクリに託したという人も多く、誰もが熱心な左派支持者ばかりという訳ではないのも他国とは様子が違った。

トランプ米大統領の誕生により、米国大統領選ではラストベルト（さびた工業地帯）の白人労働者が勝敗を決するようになったことはよく知られている。アルゼンチンの場合も、選挙の勝敗を決したのは放っておいても左派に投票するような低所得者層ではない。集会に参加していたような、政治から「見捨てられた」と感じる中間層が、選挙の勝敗を左右する構造となっていたのだ。確固たる支持基盤ではない彼らの意向はうつろいやすく、経済状況でどうとでも転ぶ。4年ぶりに政権を奪取した左派陣営だが、後にこの移り変わりの激しい民意に悩まされることとなる。

フェルナンデス大統領の誕生

マクリを破り、当選したフェルナンデスとは一体何者なのか。この問題はアルゼンチン政治を取材する我々を悩ませた。大統領選からさかのぼること5カ月前。クリスティナが大統領選に出馬せず、フェルナンデスを擁立すると発表したとき、地元メディアには「アルベルト・フェルナンデスって誰？」という見出しが躍った。2003年から5年超にわたり首相として故キルチネル元大統領とクリスティナに仕えたが、アルゼンチン国内での知名度は低い。実際に左派陣営の集会を取材しても、最も大きな歓声が上がるのは次期大統領であるフェルナンデスの演説ではなく、クリスティナの登場時だった。少なくとも、フェルナンデスにアルゼンチンの政治で必要とされる、「華」がないことは間違いなかった。

もともと穏健左派的な思想を持ち、「堅実な実務家」という評判だったフェルナンデスだが、選挙戦ではポピュリズム色の強いクリスティナの主張をそのまま受け入れた。「政府とＩＭＦが現在の経済危機をつくり出した」「ＩＭＦの支援は、マクリ政権を存続させるための選挙支援だ」。演説ではこうした言葉を繰り返し、マクリ政権にすべての責任があると断言。政権交代すればすべての問題が解決するかのようにアピールした。

政治学者のセルヒオ・ベレンスティインは「現実がフェルナンデスに穏健化を強いるだろう」と述べ、選挙戦では左派色を打ち出しても、就任後は市場の圧力からやがて現実路線を受け入れざるを得ないとの見方を示した。しかし、大統領に当選後も、フェルナンデスは閣僚人事を自分一人で決められず、いちいちクリスティナの許可を仰いでいると報道された。保守系のメディアは自分の意思を持たず、クリスティナに操られている「マリオネタ（操り人形）」だと皮肉った。

フェルナンデスがクリスティナに頭が上がらない背景にはクリスティナの人気もさることながら、議会でのパワーバランスがあった。左派としてまとめられがちなペロン党だが一枚岩とは言えず、社会主義的な主張を掲げる急進左派色が強い議員団から現実路線の穏健左派まで幅広い。法案ひとつ通すためにも、急進左派陣営を率いるクリスティナの機嫌を損ねることはできなかった。

フェルナンデスの大統領就任式当日、クリスティナの力を象徴するような光景があった。議会での就任宣誓式、前大統領であるマクリが登壇すると、ペロン党の急進左派的な議員が一斉にブーイングをはじめ、歌を歌いはじめたのだ。明らかに礼を失した行為であり、議会の控室でモニター越しに就任式の様子を取材していた記者団もざわついた。諦めたような表情をしていたフェルナンデスとは対照的に、クリスティナは満足そうにほほ笑み、マクリに視線を向けることすらなかった。顔をこわばらせたマクリはフェルナンデスと少し会話を交わした後、大統領としての権限を委譲し、抱擁を交わして議会を去った。フェルナンデスは就任演説で「我々は壊れやすく、衰退している国を受け取った」と述べ、マクリ政権が国を駄目にしたというクリスティナの主張をそのまま繰り返した。

議会での就任式の後、大統領府の前で行われた就任セレモニーの様子は冒頭に記したとおりだ。市民が熱狂する中でも、経済が回復する要素はどこにもなかった。経済が低迷し高インフレが続き、対外債務は積み上がって返済すらままならない状況まで追い詰められた中でのアンチ・ビジネス路線を公言する左派政権の誕生。4年前のマクリ政権の誕生とは正反対で、アルゼンチンの将来に期待する海外の投資家や企業はおらず、市場の関心は次のデフォルトがいつになるのかに移りつつあった。

国民には寛大な態度で臨む新政権

フェルナンデス政権にとって就任後真っ先に手をつけなければならないのが、IMFをはじめとした債権者との交渉だった。長引く経済低迷とマクリ政権の支援により政府債務は約3400億ドルと、国家のGDPの9割近い水準まで積み上がっていた。就任式で「国は（債務を）払う意思を持っているが、実行するための能力がない」と述べるなど、対外債務について返済猶予を求めると宣言するなど、強硬姿勢をアピールした。

交渉役に抜擢されたのはグスマン経済相だった。37歳のグスマンは米コロンビア大ビジネスクールでエコノミストとして活動するようなエリートだが、経済学会の左派的な主張で知られるノーベル経済学賞受賞のジョセフ・スティグリッツに師事し、IMFや新自由主義的な経済政策に厳しい態度で知られていた。

グスマンは就任早々、「アルゼンチンは事実上のデフォルト状態にある」と発言し、IMF主導で策定された緊縮財政策を放棄することを表明。「我々は社会問題を中心に、優先順位を定義し直す」と述べ、分配の強化による消費主導の景気回復を目指すと高らかに宣言した。

方針転換により、これまでアルゼンチンに投資していた投資家は痛手を被った。就任式から20日もたたないうちに、フェルナンデス政権は総額90億ドルにのぼるドル建ての短期国債について、2020年8月31日まで支払いを停止すると発表。格付け会社フィッチ・レーティングスがアルゼンチンの長期国債と短期国債について、部分的なデフォルトを示す「RD」に格下げした。その後、デフォルト状態は解消されたものの、グスマンは国会演説で「(海外の)ファンドにアルゼンチンが抱える危機の責任がある」と述べるなど、借り手であるアルゼンチン側に非はないという主張を繰り返した。

デフォルト常連国であるアルゼンチンに投資家が殺到したのは、マクリ政権への期待感に加え、金融緩和に伴うカネ余りという事情があったのは既に説明したとおり。しかし、借金の踏み倒しを堂々と主張する左派政権が誕生したことで、前提は大きく崩れた。年利7・9

%で発行された100年債は20年2月中旬の時点での利回りは16・46%と、既にデフォルトを意識した水準で取り引きされるようになっていた。

海外債権者には厳しい態度をとるフェルナンデス政権だが、国民に対しては選挙で約束した通り、寛大な態度で臨んだ。就任から1週間後には薬価を8%引き下げ、当面値上げしないことで製薬会社などと合意したと発表した。合意といえば聞こえはいいが、薬の許認可を握る政府の求めを拒否できる製薬会社など存在しない。国内・外資問わず、製薬会社は薬価を引き上げることができなくなり、値下げや価格凍結に伴うコストは製薬会社や薬局が負担することになった。一事が万事この調子で、あらゆる負担を企業や投資家に押しつけて国民に良い顔をするというのはフェルナンデス政権の基本スタンスとなる。

60%近い支持率を記録し順調な滑り出しに見えたフェルナンデス政権だが、債務問題は解決の兆しを見せず、企業や投資家の心理は完全に冷え込んだ。政府の資本規制にも関わらず通貨安は止まらず、闇市場で取り引きされるペソは連日最安値を更新していた。そしてここに新たな危機が訪れることになる。20年1月に中国・武漢で発見された、新型コロナウイルスだ。約2カ月後の3月、地球の反対側であるアルゼンチンでも初となる感染者が発見され、ただでさえ沈みかけていたアルゼンチン経済は大波をかぶることとなった。

新型コロナが観光産業を打撃

2020年2月。私はアルゼンチン最南端の町、ウシュアイアにいた。普段から出張続きで迷惑をかけている家族の慰労も兼ね、ブラジルのカーニバル休暇に合わせて家族旅行をしていたためだ。当時、世界は中国・武漢で発生した新型コロナウイルスの話題一色で、日本ではクルーズ船「ダイヤモンド・プリンセス」の問題が世界中から注目を集めていた。アルゼンチンを含め、南米のニュースが紙面に載ることはめったになくなり、南米に住む我々は文字通り「対岸の火事」として新型コロナ騒動を眺めていた。

日本ではなじみが薄いが、アルゼンチンのパタゴニア地方は世界的に有名な観光スポットだ。人々はまずブエノスアイレスから飛行機で3時間の場所にあるエル・カラファテという町で湖から巨大な氷河を観覧し、飛行機でさらに1時間半かけて南米大陸最南端のウシュアイアにわたり、野生のペンギンの生息地を見るというのが定番コース。日本ではとてもお目にかかれない雄大な景色や、人類が定住する最南端の町の過酷な環境は我々を含めた外国人観光客であふれかえっていた。

当時、観光はアルゼンチンの数少ない成長産業だった。前述のとおり、通貨安が続く中、外貨を持つ人々にとってアルゼンチンは明らかに割安な観光地となっていたためだ。エル・カラファテのタクシー運転手は「外国人がたくさん来て助かるよ」と上機嫌でドル紙幣を数え、観光ツアーを組む業者は「事前に予約していない客はすべて断った」と笑顔で話していた。氷河ツアーでもペンギンツアーでも、船は外国人であふれており、景気の悪さなどどこ吹く風だった。

しかし、地球を半周して南米大陸にたどり着いた新型コロナはアルゼンチン経済の数少ない希望まで根こそぎ吹き飛ばした。3月中旬、感染者が拡大すると、フェルナンデスは非居住者の入国を制限すると発表。事実上の国境閉鎖で、外出禁止制限（ロックダウン）も併せ、中南米でも有数の厳しい措置をとった。

当時、ブラジルではボルソナロ大統領が新型コロナを「ただの風邪」と呼んで軽視しており、アルゼンチンとの対照的な姿勢はよく比較された。ボルソナロの支持率が低迷する中、目先の経済を無視して毅然とした対応をとったフェルナンデスの支持率は上昇した。就任から4カ月後の4月には支持率は7割近くなり、過去最高を更新した。

しかし、フェルナンデスの戦略は経済的には大きな打撃となる。外国人観光客の締め出しで観光業は壊滅状態となり、ホテルや飲食店の破綻が相次いだ。休業補償や現金給付などの手厚い補償を打ち出した日米欧などの先進国と異なり、財政難に苦しむアルゼンチン政府には打ち出の小づちはない。経済対策はどれも小粒なもので、感染者を抑えるための経済閉鎖は多くの失業者を生み出した。

当初は厳しい措置を歓迎していた市民だが、次第にいらだちを見せるようになる。経済が悪化する中、サービス業の従事者などのデモが連日のように報じられるようになった。そしてフェルナンデスにとって最悪なことに、アルゼンチン国内で新型コロナ患者は爆発的に増加した。経済活動再開を望む市民の声に応えた結果、ウイルスの抑え込みに失敗するという悪循環で、人口当たりの新規感染者数や死者数はブラジルをも上回るようになった。経済は失速しウイルスの感染を止められないという状況はフェルナンデスの失政と位置付けられた。
また、ワクチンの確保で失敗したことも政権にとっては痛手となった。資金に余裕がある先進国がファイザーやモデルナといったワクチンを独占する中、財政に余裕がないアルゼンチンはワクチンの確保に苦しんだ。ロシア製や中国製のワクチンを購入したものの市民からの評判は芳しくなく、安全性をアピールしようとロシア製ワクチンを打ったフェルナンデスが新型コロナに感染するといったありさまだった。

アルゼンチンに限った話ではないが、中南米はもともとハグやキスがコミュニケーション手段として定着している。家でじっとしていろというのが無理な話だ。アルゼンチンではマテ茶を回し飲みすることで親族一同が感染するという、笑い話のような話もあった。また、ブエノスアイレスでは低所得者層が多く住む「ビジャ」と呼ばれるスラム街で感染が拡大した。マクリを支持するようなホワイトカラーの中~高所得者層がリモートワークで安全に暮らす中、政権の支持層である低所得者層が経済的にも健康でもリスクを負うかたちとなり、フェルナンデス政権への反感は募っていった。

ＩＭＦと合意へ

フェルナンデス政権にとって1丁目1番地だった、海外の債権者との債務交渉も支持率の浮揚にはつながらなかった。アルゼンチン政府は2020年8月、償還期限が過ぎるなどしていた総額650億ドルの国債に関して、米ブラックロックやフィデリティなどの米欧の機関投資家で構成する債権者団と元本や利払いの減免で合意したと発表した。

5月に国債の利払いを止めてテクニカル・デフォルトを起こすなど背水の陣で臨んだ交渉だっただけに、「債権者はアルゼンチンのとてつもない努力を理解した」と勝ち誇ったフェルナンデスだが、支持率に影響はなく、むしろじりじりと下がり続け40％を下回るようになった。多くの国民にとって、新型コロナで失業と倒産が止まらない中、政府債務といった分かりにくいことよりも目先の経済やインフレが最優先となっていた。交渉妥結にも関わらず通貨売りは止まらず、実勢レートは8月の段階で1ドル＝128ペソと、年初来からの下落率は40％を超えた。

そもそも、「勝利」の定義もあいまいだ。アルゼンチン政府は債務減免について、詳細な条件は明かさなかった。地元経済紙クロニスタ（電子版）はアルゼンチン政府は債権者が保有する国債を45・2％減免した額面1ドルあたり約54・8セント相当の価値で、新たに発行する債券と交換するよう提案していたと報じている。もともとアルゼンチン政府は利払いの

62％削減を含む大幅な削減を狙っていたが、約3カ月半にわたる交渉でたび重なる譲歩を余儀なくされ、実態は債権者団と「痛み分け」で決着したかたちだ。

新型コロナで財政が傷む中、敵対視していたＩＭＦとの姿勢も変化せざるを得なくなっていた。民間債権者団との交渉決着後、ラガルドの後を継いだＩＭＦのゲオルギエバ専務理事はフェルナンデスと電話協議したことを明らかにした上で、「ＩＭＦの新たな支援プログラムについて、議論を始めるという要請を受けた」と発表した。国民に向けてファイティングポーズを取っているように見せながら、水面下ではこれまで批判していたＩＭＦに支援を要請するという姿勢は理解を得にくく、身内のはずの急進左派陣営からはフェルナンデスに対する批判が強まるようになる。副大統領という立場にも関わらず、クリスティナはこの頃から、露骨にフェルナンデスと距離を取るようになっていた。

うつろいやすい労働者層の支持離れは鮮明で、主要支持層だった急進左派からも批判を集めるようになり、フェルナンデスは窮地に立たされた。21年11月に実施された議会選挙では、ペロン党を源流とするフェルナンデス率いる左派陣営フレンテ・デ・トドスの得票率は35％にとどまり、旧マクリ派の中道右派陣営フントス・ポール・エル・カンビオの43％に大きく差をつけられた。物価上昇率が年率50％を超える中、フェルナンデスは選挙の1カ月前から生活必需品1247品目の価格を90日間凍結するように小売店などに求めるなどなりふり構わぬ手段にでていたが、政権への不信感は払拭できなかった。

選挙の敗北により、上院・下院とも単独過半数を割り、つい2年前に大歓声を送っていた支持者が掌を返して政権批判に回っていたことが明らかになった。フェルナンデスは「責任感があり、対話に前向きな野党は愛国的な野党だ」と述べ、これまで敵視していた野党に秋波を送るが、既にレームダック状態にあることは明らかだ。

翌22年3月、アルゼンチン政府はIMFと450億ドル規模の債務再編交渉で合意したと発表した。返済開始時期を26年以降に先送りにする内容だが、財政赤字の目標についてIMFからの指導を受けるなど、党内の急進左派からの反発は避けられない内容となっていた。

アルゼンチンの今後は

マクリの当選から敗北、そして議会選挙でのフェルナンデスの苦戦という一連の流れを通じて改めて感じるのが、アルゼンチンの現状と民主主義の相性の悪さだ。選挙を通じて民意を測り、政権交代が可能な民主主義のシステム自体は人類の歴史が生み出してきた次善策である。しかし、近年のアルゼンチンのように選挙のたびに新政権に過大な期待をかけ、そしてすぐに期待通りの結果が出ないと失望して掌を返すことの繰り返しでは、長期的な視点に立った健全な政権運営は不可能だ。

マクリの失敗は通貨安を抑えられなかったことの一点に尽きるが、通貨安を抑えるための大胆な構造改革を就任早々に行えば、就任から2年後の議会選で敗れて政権運営がおぼつかなくなっていたことは確実だ。脆弱な財政や1次産品に依存した経済構造、高インフレという歴代政権の負の遺産を処理しながら支持率を維持するのは、誰が大統領でも容易ではなかった。

一方、フェルナンデスが新型コロナ対策で失敗したことは事実だが、中南米の周辺国の惨状を見ても、ウイルスを抑え込むことも、死者を減らすことも不可能だったことは明らかだ。人との距離の近さといった文化的な要因もさることながら、貧富の格差や財政の制約、貧弱な医療体制など所与の条件と新型コロナはあまりにも相性が悪かった。また、ばらまき策を実行しようにも原資がなく、むしろ通貨安を抑えるためには財政赤字と経常赤字の双子の赤字を解消することが不可避で、誰が政権を握っていようが国民に不人気な財政支出の削減に手をつけざるを得ない状況だった。

こうした問題点を主要メディアは繰り返し指摘してきたが、右派と左派に別れた政界は対話ではなく、互いに罵り合うことで不毛な対立に終始した。一度は国際サッカー連盟（FIFA）の要職に任命され、アルゼンチン政界から距離を置くようになっていたマクリだが、フェルナンデスが不人気になったとみるやすぐさま政権批判の急先鋒として再び表舞台に姿を現すようになった。ニュースになるのは互いの陣営の批判ばかりで、建設的な議論はほとんど聞こえてこない。

また、フェルナンデスにとって不幸だったのが、実権を握っているクリスティナが副大統領であるにも関わらず、急進左派的なイデオロギーに拘泥して公然と反旗を翻すようになったことだ。政権内部にもう一つの野党を抱えたようなもので、これでは政権運営はおぼつかない。結局、沈みゆく国では責任を持って舵をとるリーダーではなく、政権批判が最大の人気コンテンツになってしまうという構造的な問題がある。

　こうした状況は、アルゼンチンの国民的スポーツであるサッカーの応援風景にも通じるところがある。ブエノスアイレスで行われたクラブの試合を観戦したことがあるが、熱狂的な応援で知られるゴール裏に陣取ったサポーターは味方であろうが消極的なプレーをした選手に対しては容赦なくブーイングを飛ばす。愛情の裏返しなのだろうが、同国で精神を病む選手が多いのも理解できる気がした。つい2年前の大統領選でフェルナンデスに拍手喝采を送りマクリに「ノー」を突きつけながら、結果が出ないとみるやすぐマクリ派に乗り換える。この移り気な世論が落ち着くことは、きっと今後もないだろう。

　荒波にもまれ沈没寸前に見えるフェルナンデス政権は厳しい状況が続く。2022年7月、債務再編交渉を主導していたグスマン経済相が辞任を表明した。民間債権者やIMFとの粘り強い交渉で海外投資家からは高く評価されていたグスマンだったが、IMFが求める債務削減とペロン党が求めるポピュリズム的な政策の板挟みになっていた。ロシアによるウクライナ侵攻を受け穀物や天然資源の価格が上昇したことに加え、通貨安が加速したことも悩みの種だ。23年3月のインフレ率は年率104%を記録した。これは、人々が強く非難していたマクリ政権末期の数字を大きく上回り、1991年のハイパーインフレ以来の水準だ。フェルナンデスの就任時に1ドル＝60ペソ程度だった為替レートは、3年間で1ドル＝200ペソを大きく超える水準となった。3年前に左派政権の誕生に熱狂していた人々はようやく、通貨安はマクリのせいではなく、アルゼンチンという国の問題だという現実と直面することになる。

フェルナンデスは4月、半年後に迫る次期大統領選に出馬しないと表明した。8割を超える国民が不支持を表明する中、再選は望めないと判断したもようだ。新型コロナやウクライナ情勢に端を発するエネルギー価格の高騰といった不運はあったものの、「自分たちならばこの国を救える」と大見得を切って権力を奪取したにも関わらず、経済は悪化し、インフレは加速し、アルゼンチンという国の没落のスピードを速めただけだった。

混沌とした状況下、次に誰がこの国の舵取りをするのかは不透明だ。副大統領でありながら政権批判の急先鋒となったクリスティナが22年9月に暗殺未遂にあったことは世界中に衝撃をもたらし、彼女の存在感の大きさを改めて示した。しかし、数々の汚職スキャンダルを抱え、キングメーカーとして振る舞うクリスティナに対する反発は根強い。

かつて国民の期待を一身に背負い、そして失望と共に表舞台を去ったマクリは3月、大統領選への不出馬を明らかにした。「救世主的な指導者には従わないように」。マクリが発したメッセージは、候補者に過剰な期待を託し、そしてすぐに失望するということを繰り返すアルゼンチン国民に向けたものにほかならない。今後、選挙戦がどんな展開になろうが、そして誰が当選しようが、アルゼンチン政治が予測不可能な状況が続くということだけは確実な情勢だ。

一つだけ断言できるとすれば、与野党が団結するという奇跡が起きない限り、アルゼンチンの経済的・政治的な混乱は今後も続くだろう。残念なことに、国難にも関わらず、アルゼンチンの政党や国民には、心を一つにして難局を乗り切るという発想はない。財政問題や通貨安、1次産品に依存した産業構造や貧富の格差など問題点は多岐にわたり、これらの解決は4年では不可能なことは明らかだ。しかし、大統領選と議会選という2年ごとの選挙でせわしなく民意を問われる環境では、腰を据えた改革は難しい。民主主義が機能している現状、アルゼンチンがベネズエラのようになるとは思わないが、かつてのように大国として復活する将来は想像しにくい。

22年12月20日、ブエノスアイレスでは36年ぶりのサッカーW杯優勝に沸き立つ数百万人以上の市民が集まり、優勝パレードが行われた。しかし、そこで見られたのは興奮したサポーターにより選手を載せたバスが立ち往生するシーンであり、暴徒化した人々が治安当局と衝突する光景だった。魅力に満ちた落日の大国は、今日も針路不明のまま大海を漂っている。

第3章

ブラジル

怒りが揺らす社会秩序

BRAZIL

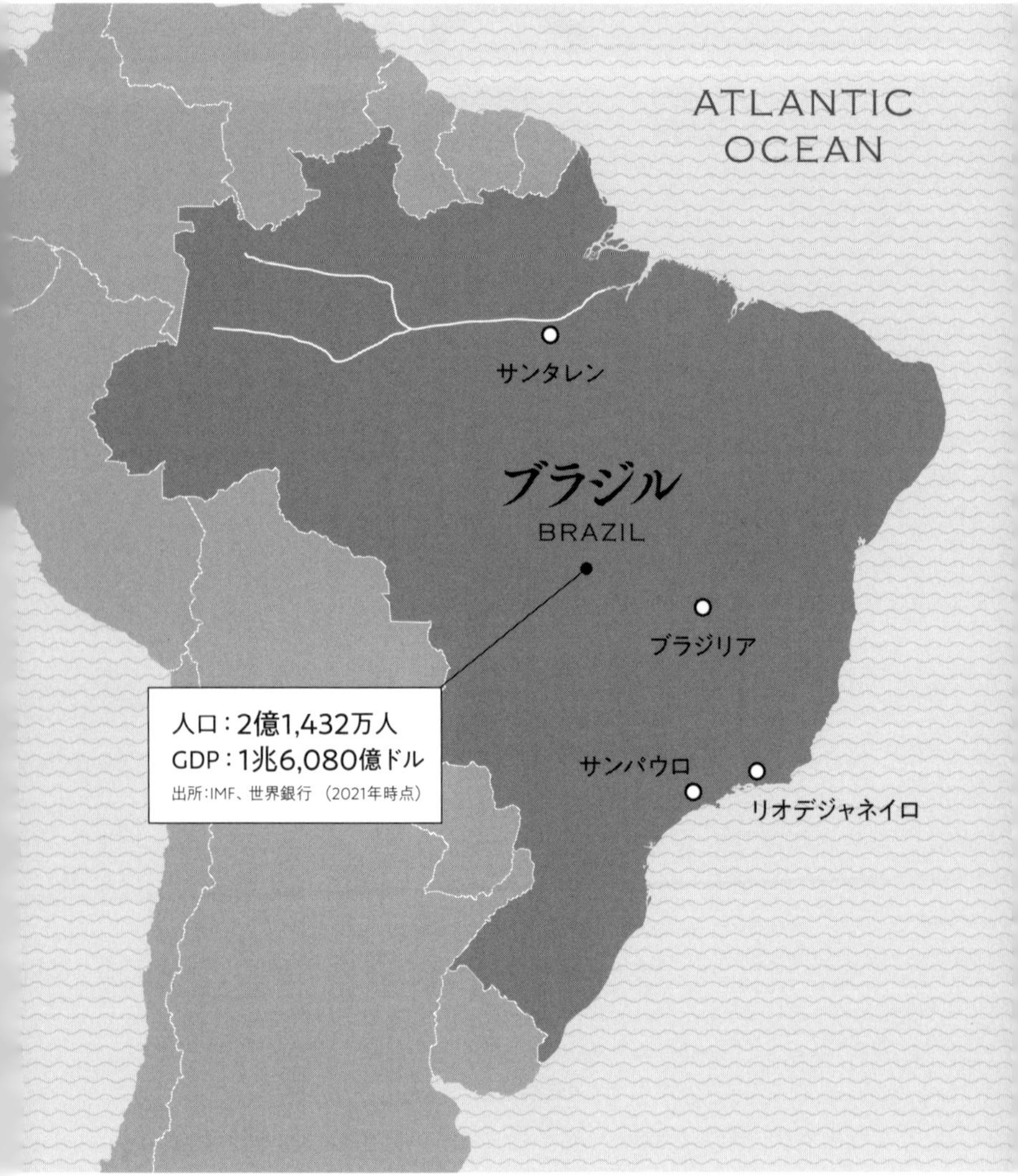
ATLANTIC
OCEAN
サンタレン
ブラジル
BRAZIL
ブラジリア
人口：2億1,432万人
GDP：1兆6,080億ドル
出所：IMF、世界銀行 （2021年時点）
サンパウロ
リオデジャネイロ

「父さん……」。泣き叫ぶ娘を抱き寄せ、自らも肩をふるわせる母親。防護服に身を包んだ職員が地面に置かれたひつぎに黙々と土をかけていた。ブラジル・サンパウロ郊外に位置する、中南米最大の墓地ビラ・フォルモサ。真新しい花束が載せられた墓が並ぶ脇の側道にはひつぎを載せた車が並び、最後の別れを惜しむ家族たちとともに埋葬の順番待ちをしていた。

「我々には手袋の支給すらない。政治家は口先だけで、何も手伝ってくれない」。市の職員、ジョアン・バチスタはこう吐き捨てる。直射日光が照りつけ、気温30度を超える過酷な環境だが、次々と新たなひつぎが到着するため、休む間もない。絶え間なく遺族の泣き声が聞こえる戦時中のような状況に「精神を病んで、アルコールや薬物に依存する仲間も多い」とジョアンはつぶやいた。

2021年3月。南米大陸に新型コロナウイルスが到着してから約1年、ブラジルでは同国発の変異ウイルス「ガンマ型」が猛威を振るっており、各地で地獄絵図が広がっていた。1日の死者数は3000人を超え、20年の第1波のピークの2倍のペースで死体が積み上がった。埋葬の手続きが間に合わず、遺体が入ったひつぎが路上に放置されるという光景すら見られた。

サンパウロ市北部の中規模病院であるジェラウ・ビラ・ペンテアド病院を訪れると、ひっきりなしにサイレンを鳴らした救急車が次々と乗り付け、患者を搬送していた。サンパウロ州では病床数が足りずに自宅で死亡する感染者が相次いでおり、同病院は新型コロナ専門病

墓地には次々と遺体が運ばれた（サンパウロ）

院として稼働することが決まったばかり。もっとも、病床は既に満床近くなっており、自家用車で乗り付け、受け入れを断られた感染者らしき市民の姿もあった。

ウイルスと同様に深刻なのが経済への影響だ。サンパウロ州は3月に入り、商業施設や飲食店の営業を規制し、夜間の外出も制限した。第1波に続き2回目となる事実上の都市封鎖（ロックダウン）だが、先進国と違い補助金はほとんどなく、街にはシャッターを閉じたまま閉鎖した店舗が並ぶ。

路上には失業者があふれる。セントロと呼ばれる旧市街では、至る所にテントが張られ、夜にはたき火で暖を取る人々の姿があった。この1年間で、路上生活者がゴミをあさって食べ物を探す光景はサンパウロの日常の風景となりつつあった。多くは有色人種だ。ブラジル地理統計院（ＩＢＧＥ）の統計では、白人の失業率が11・5％なのに対し、黒人は17・2％となっている。コロナ禍以前から引きずる、人種間の格差がさらに広がっている構図だ。

事態収束のための切り札として期待がかかるワクチンの接種も遅々として進まない。ドライブスルー方式のワクチン接種会場に足を運んだが、自動車の数は数えるほどだった。ある医者は「職場から求められたから接種したが、個人的には避けたかった」と明かす。

人々がワクチンに否定的なのは、それが中国製だからだ。当時、日米欧の先進国がファイザーやモデルナなどのワクチンを独占し、ブラジルをはじめ途上国への分配はごくわずかだった。がらんとした接種会場では、「接種されるのが中国製ワクチンだと知って、その場で拒否して帰った人もいる」と医師はあきれ顔で明かす。

終わりが見えないコロナとの戦いに市民は疲弊しており、弛緩した空気すら漂う。連日のように感染者や死者数が過去最多を超えたと報じられる中でも、低所得者層が多く暮らす地域では夜間の外出制限を無視してマスクを着けずに談笑する人々の姿が見られ、週末の夜になれば富裕層が住むマンションではパーティーの音がもれ聞こえる。遺体が続々と運ばれる墓場を歩くと、「秩序と進歩」という、国の標語が記されたブラジル国旗がむなしくはためいていた。

2人のカリスマ、ボルソナロとルラ

新型コロナウイルスが世界で猛威を振るう中、ブラジルが感染の震源地だったことは記憶に新しい。地球の反対のアジアで新型コロナウイルスが問題になってから約3カ月後の2020年2月末、ブラジル保健省は同国初の感染者が確認されたと発表した。直前までイタリアに滞在していた男性や濃厚接触者に対して政府は隔離措置をとったが、時、既に遅し。瞬く間にウイルスは広大な国土に広がり、数えきれないほどの感染者と死者を量産し、そして変異ウイルスを生み出し続けた。

新型コロナ禍におけるブラジルを語る上で、避けて通れないのが当時の大統領だったジャイル・ボルソナロだ。差別的な発言や直情的な行動で「ブラジルのトランプ」とも呼ばれた男は、世界中を混乱状態に陥れた未知のウイルスを前に強気の態度をとり続けた。「ただの風邪だ」「隔離政策は経済を破壊する」「我々はみないずれ死ぬ」。国民の多くが満足な治療を受けられず、呼吸困難で苦しみながら命を落としていく中、ボルソナロの暴言はブラジルのみならず世界中に拡散され、非難の集中砲火を浴びた。

それでも、ボルソナロが止まることも、口を閉ざすこともなかった。経済活動を再開せよという自らの意に沿わない医師出身の保健相を解任し、商店や学校の閉鎖を支持する州知事や議会と対立。マスクをつけずに人々の前に姿を現し続けた。自身が新型コロナウイルスに感染した後ですら、その行動は一切変わらなかった。ときには最高裁や議会を批判し、三権分立そのものを脅かす言動をとるボルソナロを批判する市民は夜な夜な窓を開けて、食器で鍋を叩き音を出す「パネラッソ」という抗議行為で抵抗の意を示した。サンパウロの我が家でも寝ている子どもが「うるさくて眠れない」と起きて文句を言うほどの大音量がブラジル全土の都市の街角で鳴り響いたが、それでもボルソナロの意思を翻すことはできなかった。

ボルソナロの行動原理は極めて明快だ。「国民の70％が感染する。これが現実だ。しかし我々は働かなければならない」。新型コロナウイルスの第1波のまっただ中に言い放ったこの言葉がすべてを表している。途上国のブラジルでは、先進国のような手厚い補助金は用意できない。家に閉じこもっていたところで、どのみち飢えるだけだ。それならば経済活動を再開し、稼げ。その中で感染して命を落とす国民がいたとしても、仕方がない――。こうした過激な主張に対し、メディアで働く多くの記者は眉をひそめ、ボルソナロを非難する論調の記事を出し続けた。

それでも、どんなに非難されようとも、ボルソナロは一定の人々から支持され続けた。「ボルソナロへの支持が急減」という見出しの世論調査を紐解くと、確かに不支持率は4割と上昇していたものの、支持率は3割程度で底堅い状況が続いていた。世界中で支持率が3割を切る政治指導者が数え切れないほどいることを考えると、いくらメディアに批判されようとも、ボルソナロが国民から見捨てられたとはいいがたい状況だった。ボルソナロの熱心な支持者は大都市の中心部で外出自粛令に対する抗議デモを展開し、政権に批判的な大手メディアを「ゴミ」だと罵り、取材する記者に罵声を浴びせていた。

当時、私はサンパウロで1年以上にわたる自粛生活を強いられながら、可能な範囲で取材活動を続けた。ひつぎを埋めるための穴が掘り続けられる墓地、富裕層のみを受け入れる病院、断続的に断水するファベーラ（貧困街）、門を閉じたままの学校、閉店した商店の前で物乞いをする年端もいかない子どもたち。ありとあらゆる場面で、ブラジルという国が建国以来抱える病理が浮き彫りになっていた。

新型コロナウイルスという100年に1度の疫病と、混沌を体現したようなボルソナロという指導者というめぐり合わせは、ブラジル国民にとって不幸だったのかもしれない。しかし、誰が政権の座に就いていたとしても、同じような結果は避けられなかっただろう。長年、見て見ぬふりをされてきた問題が表面化しただけだ。

近年のブラジル政治を語る上で、ボルソナロと並び、もう一人欠かせない男がいる。22年10月の大統領選で再選を狙うボルソナロを下し大統領に返り咲いた左派の指導者、ルイス・イナシオ・ルラ・ダ・シルバ、通称ルラだ。貧農の家に生まれ、小学校にろくに通えないまま働くところから大統領までのし上がったルラは格差社会のブラジルでは不可能とされた立身出世を果たした。そして「奇跡」と呼ばれるまでの経済成長を実現した実績もあり、低所得者層からはカリスマ的な人気を誇る。一方、ルラが政権の座についている間、政府内には汚職が蔓延し、近視眼的な政策はブラジルの国際競争力を低下させた。

右派のボルソナロと左派のルラ、政治的な立ち位置も支持層もまったく異なる二人のカリスマは反目し合い、ブラジルという大国の分断を深めた。大統領選でルラがボルソナロを僅差で破ったことでルラに軍配が上がったかのように見えるが、18年の大統領選でボルソナロを大統領に押し上げたのは、汚職で国民の期待を裏切ったルラ、そして左派政権への失望だった。左から右へ、そして右から左へと急旋回する政治体制は、政治不信が渦巻く中で民意が揺れ動くブラジルという大国の、不安定な現状を映す。

ボルソナロとルラ、右派と左派をそれぞれ代表する2人のカリスマの対決は大統領選でのルラの勝利というかたちで決着がついたが、これですべてが終わったわけではない。ブラジルという国が、そして民主主義という制度が続く限り、混乱が終わることはないし、ボルソナロのような指導者はまた登場するだろう。本章ではボルソナロとルラを中心に、近年のブラジルの栄光と挫折を紐解きたい。

ブラジルを経済大国に押し上げたルラ

2022年10月のブラジル大統領選では、ルラの得票率は50・9％、対するボルソナロが49・1％と接戦ながら当選を決めた。「経済とは不平等を永続させるものではなく、すべての人の生活を向上させる道具として機能すべきものだ」と語ったルラのもとには多くの支持者が駆けつけ、歓喜の声を上げた。汚職疑惑を抱えるルラと数々の暴言や愚挙を繰り返すボルソナロの不人気投票となった大統領選だが、決してルラは消去法だけで選ばれた訳ではない。ブラジル各地に住む低所得層の押し上げがあったからだ。長年にわたり搾取され続けた人々にとって、ルラは希望そのものだった。

ブラジルのかつての首都であったリオデジャネイロほど、この国の格差を体感するのに適した場所はない。山に囲まれて平らな土地が少ないリオでは、海沿いの風光明媚な景色が一望できる土地にはガードマンが警備する外資系チェーンのホテルや高級マンションが立ち並び、埠頭には高級ヨットやクルーザーが浮かぶ。一方、その背後にある急峻な山には貧しい人々がれんが造りの家に身を寄せ合ってファベーラを形成し、暮らしている。同じ視界に富裕層と貧困層が同居するコントラストは、先進国では決してお目にかかれないものだ。

ファベーラに住む人々の多くはかつて奴隷から解放された黒人や、貧しい地方から出稼ぎに出てきた人々をルーツに持つ。一方、高級コンドミニオ（マンション）に住む人々の多くは欧州からやってきた白人系だ。

多民族の移民国家にも関わらず、ブラジルという国の中枢は白人が占有し、仲間同士で利権を分け合う構造は長く続いた。リオでは、学費が年間数百万円かかるようなインターナショナルスクールの徒歩圏内に月1０００円以下で暮らす貧困層が暮らす。もちろん、富裕層の利用するような設備にはガードマンが立っており、ファベーラの住民が近づくことはな

ファベーラで暮らす子供たち（リオデジャネイロ）

い。同じ言葉を喋り、同じ文化を持つ国民でありながら、住む場所が数百メートル異なるだけで片や贅を尽くした生活を送り、片やインフラも整っていないような場所での生活を強いられ、互いが交わることがないという現実こそが、ブラジルの歴史の産物だ。

ルラの出身はブラジルの中でも最も貧しい地域であるノルデスチ（北東部）。資源もなければ産業もない、痩せて枯れた土地だ。幼少期にサンパウロに引っ越してきたものの、小学校は中退で、様々な仕事を転々としてその日暮らしの日々だった。職業訓練校に通い旋盤工になったものの、事故で左手の小指を失ってしまう。何も持っていない人間だったルラだったが、弁が立つという才能があり、情熱があり、周囲を巻き込む勢いがあった。労働組合の闘士として頭角を現し、そして左派の政治家として名が知られるようになった。

ルラがはじめて大統領になったのは03年。ブラジルの政治において貧困は長年にわたるテーマであるが、最優先課題だったとはいいがたい。歴史上、政治を動かしていたのは軍であり、伝統的な大政党であり、経済界だった。低所得者層は数の上では圧倒的多数でありながら、政治参加という意味ではまとまって力を発揮できないという状況が長年続いていた。貧しい出自から自力で政治の表舞台までよじ登ったルラというカリスマが声なき声をまとめあげ、自らを政治の表舞台に押し上げる原動力に昇華したのだ。

過去3回の大統領選で敗れたルラだったが、02年の大統領選が「4度目の正直」となり、初当選。歴代政権が経済成長を掲げ企業や海外投資家の方向を向いて政治をする中、「飢餓ゼロ」を掲げ、貧しい人々の生活水準を押し上げると公約に掲げた。選挙終盤、ルラが演説で「私の勝利を、誰もがほかの誰よりも劣っていないということの象徴にしたい」と語ったのは、生まれた家庭が貧しいというだけで学校にも通えず、幼い頃から労働を強いられ、事故で左手の小指を欠損した過去の自身を振り返ってのものであった。ブラジルの歴史上、大学も士官学校も出ていない大統領はルラが初めてだった。

急進左派的な言動を繰り返すルラは経済界や投資家から不安視されたが、大統領に就任後は堅実な経済政策を繰り出した。低所得者層への分配を拡大するという基本路線をとりつつも、マクロ政策では財政黒字の維持やインフレ目標といった前政権の骨子を継承。分配の拡

ルラ政権時代はブラジル経済のピークだった（GDP、ドル）

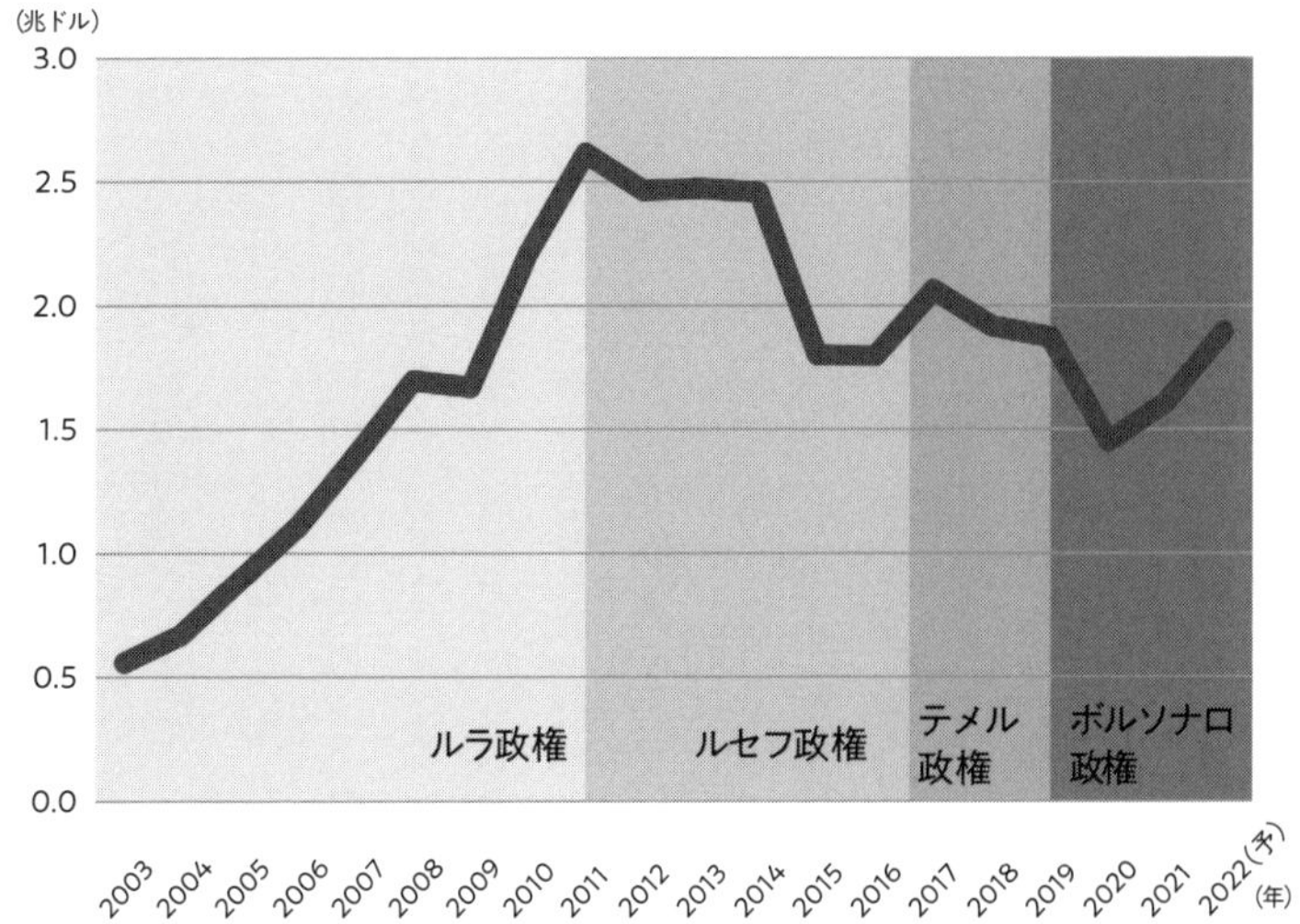

出所）IMF

大とマクロ経済の安定という両輪がかみ合い、中国の経済成長に伴う資源・農畜産物の価格高騰も追い風に、ルラ政権下でブラジル経済は高成長を記録した。

ルラ政権下のブラジル経済の特徴といえば、内需の拡大に尽きる。ブラジルの民間シンクタンク、ジェトゥリオ・バルガス財団（FGV）によると、ルラが03年に大統領に就任してから大統領の任期最終年である11年までの間、全人口の2割にあたる3950万人ものブラジル人が新たに中間所得層となり、合計で1億人を超え、全人口の半数を占めるまで膨れ上がった。新たに中間層となった人々はローンを組んで競って家電や自動車を買うようになった。経済が成長し、給与が増えるという見通しがあれば、人々は消費をためらわない。この成長する消費市場をめがけて世界中から投資が集まり、雇用を生み出すという好循環が始まっていた。

ルラは富を分配するだけでなく、国の基礎づくりにも力を注いだ。「ボルサ・ファミリア」という現金給付プログラムでは、ただ現金を配るのではなく、子どもがいる家庭では児童の就学を支給条件とするなど、子どもを学校に通わせるよう促した。教育は識字率を底上げし、人々がその日暮らしの生活から脱却して定職に就くための下地となる。FGVのマルセロ・ネリ教授は11年に発表したリポートで、「ブラジル人はより高い教育を受けて正式な仕事に就くようになり、もっと働くようになった」と、一連の政策を高く評価した。

8年の任期で貧困を削減して所得格差を減らし、国民の英雄となったルラの退任時の支持率は80%を超えた。ブラジル史上、最も国民に愛された大統領は、南米諸国の他のポピュリストのように権力に固執して任期を変えることも院政を敷くこともなく、潔く勇退した。こうした姿勢も国内外で高く評価された。

ルラはブラジルという国の国際的な地位向上にも力を入れた。14年のサッカーW杯、16年のリオ五輪と国際的なスポーツイベントの招致に立て続けに成功したことは、ブラジルの歴史に刻まれる快挙となった。リオ五輪の招致が決まったとき、ルラは「ブラジルは二流国を脱し、一流国の仲間入りを果たした」と涙を流した。任期中の8年間でGDPを4・7倍に増やし、世界7位の経済大国としてブラジルの絶頂期を作り上げた人間の、心からの言葉だったのだろう。

もっとも、左派政権が誕生して8年が経ち、ルラが率いる労働者党（PT）政権の面々は既にブラジル政界に巣食う汚職のシステムに組み込まれ、既得権益の一部となっていた。ルラが涙を流して喜んだ五輪も、汚職マネーを生み出すための舞台装置となった。

一連の汚職事件「ラバ・ジャット」

2018年、ネットフリックスで「メカニスモ」という連続ドラマが公開された。英語でメカニズム、つまり機構や装置を表す単語だ。このドラマではブラジルの政財界にはびこる、汚職システムのことを指す。地方で働く警察官による、両替商のマネーロンダリングへの捜査をきっかけに、国営石油会社や大手ゼネコン、左派政権が絡んだ大がかりなスキャンダルが発覚したというストーリーで、国を代表する企業や政治が一体となって汚職を生み出す「装置」となっていたことを描いている。フィクションの体をとりながらも、政府からの捜査機関への圧力や違法な盗聴による捜査など、実際にあったできごとを生々しく再現しており、ブラジル国内で大きな話題となった。

16年に発覚した一連の汚職事件はガソリンスタンドを使ったマネーロンダリングが捜査のきっかけだったことから、「ラバ・ジャット（洗車）」という捜査名がつけられ、ブラジル国民の間でも定着している。政界汚職自体は昨日今日に始まった話ではなく、ＰＴ政権が始まる前からずっと続いていたものだ。しかし、ラバ・ジャットは低所得者の味方のはずだった左派政権が長期化する中、かつて批判していた既存政党と同じように腐っていったことを白日の下にさらした。

そもそも、ブラジル政界は大統領と議会で権限が別れており、大統領の一存で決められることは多くない。政党が乱立し利害関係者も多い中、政策を実行していくためには調整や差配する役目が必要で、その潤滑油となるのが裏金だった。そして莫大な金額が動く中、その誘惑に耐えられる人間は多くはない。かつて低所得者の味方だったＰＴの幹部のうち、莫大な金額を目の前にして感覚が狂わなかったのは極一部だったことが後の捜査当局の捜査や裁判で明らかになっていった。

捜査を通じ、ブラジル国民は国営石油会社ペトロブラスの工事費用が水増しされ、有力政治家の息のかかったゼネコンが建設工事を受注したことを知った。実際にかかった費用と発注額の差はスイスの匿名口座などを通じ洗浄され、契約額の数％が政治家に不正献金として渡っていたとされる。政界要人や企業幹部の自宅の壁の中に隠された札束も、庶民が一生働いても買えないような豪華な別荘も、金の出所はすべて税金だ。ＰＴ政権下でブラジルが豊かになったとはいえまだ発展から取り残されていた国民が多くいたにも関わらず、彼らはただの財布として、そして確実に自分たちに投票してくれる便利な票田として扱われた。

私がブラジルにいた4年半の間も汚職に関するニュースが途切れることはなく、誰もが知っている大手企業が次々と汚職に関与していたことが明らかになっていった。着任当初、地元紙にラバ・ジャットの関連記事が出るたびスクラップしていたが、1カ月も経たないうちに諦めた。あまりにも量が膨大で、きりがないからだ。

連邦警察の捜査で押収された大量の札束がまとめられてブロックのように積み重ねられた映像も最初は衝撃的だったが、次第に見慣れた。司法取引制度があるブラジルでは共犯者の罪を明らかにすることで自身の罪が減免されるため、捕まった人間は次々と口を割り、芋づる式に逮捕者は増えていった。誰もが自分だけが助かろうとして、かつての仲間を売っていった。

最新鋭の製油所から五輪スタジアム、地下鉄まで、ＰＴ政権下で建設された建物や施設に汚職が関係ないものはないのではないかという勢いだった。ブラジル社会のすみずみまで汚職のメカニズムが浸透していることが明らかになり、国民の政治不信はのっぴきならない所まで高まっていた。

ラバ・ジャットが発覚したタイミングも、左派政権にとって痛恨だった。14年末にはじまった資源価格の下落や中国経済の低迷でブラジル経済が落ち込む中、国を代表する企業であるペトロブラスの汚職が発覚したことで、企業の投資心理は冷え込んだ。ＢＲＩＣＳブームでブラジルに殺到した海外企業も、掌を返したようにブラジル事業の整理に動いた。企業が投資を控え、国民が消費を抑制し、失業率が上昇するという悪循環により、15年から16年にかけ、ブラジル経済は2年連続のマイナス成長を記録。これは世界恐慌時の1930～31年以来となる。左派政権の築いた栄光の記憶は、最悪の形で塗り替えられた。年率10％近いインフレが市民生活を直撃する中、市民は路上に繰り出して大規模デモを動員し、政府に退陣を迫った。

ブラジルを一流国に押し上げたかつての英雄、ルラの名声も地に墜ちた。16年、ルラがマネーロンダリングなどの罪で起訴されると、ルラの後継のルセフ大統領はルラを官房長官に任命する意向を示した。閣僚の特権を使って捜査や起訴を妨害するという狙いだが、身内を守るために法の運用をねじ曲げる手段は、国民のさらなる怒りを呼び起こした。

国民の怒りの矛先がPT政権に向かう中、連立を組んでいた政党は連立からの離脱や閣僚の引き揚げを行い、議会でルセフの追い落としに動いた。16年8月、ブラジル議会上院は賛成多数でルセフの弾劾を決めた。もっとも、ルセフの弾劾理由は汚職ではなく、政府会計の状況を良好に見せるため、農業融資などを国営銀行に肩代わりさせたことによる政府会計の不正操作という一般国民にとって分かりにくいものだった。ルセフを、そしてPTを政権の座から取り除くための政治的な動きであることが背景だが、細かいことを気にする国民は多くなかった。ルセフは「クーデターだ」と主張したが、経済を低迷させただけでなく、国民を裏切って私腹を肥やした左派政権を擁護する声は、多数の市民の怒りの声にかき消された。

国民の不支持と経済界の支持——テメル政権

ルセフを追い落とし、第37代ブラジル大統領の座に就いたのはミシェル・テメル副大統領だ。当時、テメルはブラジル最大の政党であるブラジル民主運動党（以下、PMDB）を率いていた。PMDBは伝統的な大政党で、ブラジル近代史ではあらゆる場面で名前が出てくる、いわばメインストリームだ。多数の政党が乱立するブラジルではルラのようなカリスマ的な人気を誇る指導者がいても、議会の過半数を押さえることは難しい。PT政権の誕生後、PMDBはPTと良好な関係を築き、2011年にルラの後継であるルセフ政権が誕生すると、テメル自ら副大統領としてPT政権を支えていた。しかし、ペトロブラスの汚職疑惑や景気低迷でルセフ政権の人気が低迷するやいなや、連立を解消。かつてのパートナーを裏切るかたちでルセフの弾劾を支援し、空いた大統領の座に副大統領から横滑りするかたちで大統領の座に就いた。

16年5月、暫定大統領への就任演説で「ブラジルの統合を進めることが急務だ」と宣言したテメルだが、裏切りによって選挙を経ずに大統領に就いたという経緯に加え、自身も数々の汚職疑惑を抱えるすねに傷を持つ身であったことから、国民から反感を持って迎えられた。3カ月後のリオ五輪開会式ではテメルが登場するや否やブーイングがスタジアムを埋め尽くし、「テメルは出ていけ」というシュプレヒコールが全世界に中継された。かつてのルラとは反対に、「世界で最も不人気な大統領」と評されていた。

17年に私がサンパウロ支局長に着任してからも、テメルの汚職関連の醜聞はいくらでも出てきた。ブラジル最大手の建設会社、オデブレヒトから4000万ドル（約44億円）の賄賂を受け取ったというスキャンダルでは、オデブレヒトの幹部が司法取引に応じるかたちで証言し、「サンパウロのテメルの事務所で面会した」「金額については直接話さなかったが、私は支払いを約束した」と語る映像が公開された。汚職疑惑で取り調べられている有力政治家に黙秘してもらうため資金を提供していると明かす食肉大手企業ＪＢＳの会長に対し、テメルが「あなたはそれを維持しなければならない」と証拠隠滅を指示する様子を隠し撮りされた音声が流出したこともある。

南米の政治と汚職は切っても切り離せないと言われているが、テメルはその最前線にいた。伝統政党であるＰＭＤＢはＰＴ政権発足前から汚職の構図にどっぷり漬かっており、悪質性という点ではＰＴをはるかに上回っていた。オデブレヒトとの汚職では、国営石油会社ペトロブラスから契約を受注するため、５％を賄賂として支払うように要求したとされる。後に賄賂を貰った翌日に高級マンションを購入したことが明らかになるなど、絵に描いたような利権政治家であるテメルの支持率は右肩下がりで下落し続け、歴史的な不人気政権となった。サンパウロで反政府デモがあるというので取材していたら、目的地がテメルの自宅で、先頭の集団が警察官と衝突して大騒ぎになっている場面に出くわしたこともある。

汚職疑惑で連邦最高裁からも捜査される立場であり、国民からそっぽを向かれていたテメルだったが、それでも権力の座についていられたのはひとえに経済界による支持があったからだ。15年から16年にかけて2年連続でマイナス成長を記録する中、テメルは「経済改革を進める必要がある」と主張し、財政赤字の上限を定める法案や労働者に著しく有利とされる硬直的な労働法の改正、非効率的な経営が問題となっていた国営企業やインフラの民営化など、経済界の要望に沿った政策を次々と実行した。

私は16年に来日したテメルに取材する機会を得たが、18年の大統領選についての質問について「憲法上は再選が可能だが、目指す考えはない」と断言するなど、自らの再選を望まない姿勢が印象的だった。ある種、ワンポイントリリーフとして、自らを国民に不人気な経済改革を進めるための「汚れ役」として位置付けていることは明らかだった。

国民の不支持と経済界の支持というねじれは、支持率と株価のギャップというかたちで現れる。大統領就任から1年後の17年8月、主要株価指数のボベスパは6年7カ月ぶりの高値を記録。下落が続き5%前後で低迷している支持率とは真逆の動きとなっていた。中南米最大級の規模を誇る国営電力会社エレトロブラスや国内で2番目に利用者が多いサンパウロのコンゴニャス空港など、これまで民営化が取りざたされていながらも労働組合などの反発が大きく手をつけられなかった案件を次々と発表するテメルの姿勢を、経済界は大歓迎した。当時取材したブラジル最大手銀行イタウ・ウニバンコのマリオ・メスキタ筆頭エコノミストは「構造改革と金融緩和が評価されている」とテメルを高評価。現地に進出する日本企業からも、「政府の方向性を歓迎する。法整備など、業界活性化につながる取り組みを期待する（三井物産）」といった声が相次いだ。

テメルは大統領として国の執務をとりながら、権力闘争ではベテラン政治家としての老練な手腕を発揮した。16年8月、ブラジル下院は検察による汚職疑惑に対するテメルの起訴を却下することを賛成多数で決めた。ブラジルでは現役大統領の刑事裁判には下院の了承が必要なため、テメルは下院議員に対し個別に選挙区への公共事業を約束するなど露骨な利益誘導で寝返らせ、起訴を阻止した。

経済メディアの記者として私が取材するブラジル人の多くはテメルの手腕を褒めたが、実際にサンパウロで暮らす一生活者としての肌感覚は大きく異なった。支持率が地を這い、汚職の決定的な証拠もあるのにも関わらず、誰もテメルには手を出せない。政府は経済界の方向を向き、実体経済を無視して株価だけ上昇する。街中で出会う多くのブラジル人がこう感じ、諦めに似た感情を抱いていた。

テメルがいなければブラジル経済がさらに酷い状況に陥っていたことは間違いないが、不透明な密室の中で決められる政治の横行は、深刻な政治不信を招いた。左派政権への期待と絶望、そして国民不在の中、伝統政党と大企業の間で決められていく政策。2年後の大統領選に向け、混迷はかつてないほど深まっていた。

ドライバーによる大規模スト

ＰＴ政権末期にボロボロだったブラジル経済だが、政権交代の影響もあり、２０１７年の経済成長率は１・３％と、３年ぶりプラス成長を記録した。汚職の余波で建設需要が止まるというアクシデントはあったものの、自動車産業をはじめとする製造業や家計消費も徐々に持ち直しつつあった。

しかし、そんなつかの間の経済回復は、網の上を恐る恐る渡るような足取りだった。18年5月、回復途上のブラジル経済は網を踏み外すこととなる。トラックやバスなどの運転手組合の大規模ストライキが発生し、全土で物流網が麻痺する事態が発生したのだ。燃料費が高騰する中、「これでは生活が成り立たない」と運転手が怒りの声を上げ、一斉に仕事を放棄した。広大な国土を持つにも関わらず、十分な鉄道網が発達していないブラジルでは輸送の多くをトラックに頼る。その担い手が一斉にストを打ち出したことで、経済の動脈が止まる事態となった。

ブラジルに限らず、南米においてストはめずらしくない。自らの主張を伝えるために仕事を止めるというのは彼らにとって交渉手段のひとつであり、日常茶飯事だ。サンパウロでも、市内中心部をバスや二輪車が封鎖し、軽油を値上げしたペトロブラスの入居するビルの前で抗議活動が行われていたが、その時点では渋滞が少し激しくなる程度で、気にもとめなかった。

それでも、今回のストは勝手が違った。真っ先に異変が起こったのは給油所だった。物流網が止まったことで、ガソリンや軽油などの補充がこなくなり、あちこちの給油所が営業を停止したのだ。商品が残っている数少ない給油所に人々は殺到し、数百メートルにわたり自動車が並ぶ行列ができた。噂が噂を呼び、各地で買い占めが発生。スーパーの生鮮食品の棚は空となり、街中から自動車の通行が消えた。

物流網の麻痺は工業から農畜産業まで、あらゆる産業に波及した。部品の供給が止まったことで自動車工場の生産ラインが停止し、養鶏場では餌が絶たれた数千万羽の鶏が殺処分され、牧場では出荷できない牛乳が捨てられた。空港では燃料不足で離陸できない飛行機が並んだ。結局、復旧には10日以上かかり、数千億円規模の莫大な経済損失が発生した。

驚くことに、生活を不便にし、国の経済を破壊しかねないストを、ブラジル国民は受け入れた。ストの発生から約1週間後、調査会社ダタフォリャが実施した世論調査では、87%の国民がストを支持した。背景にあったのが、政府や大企業に対する不信感だ。軽油価格の高騰は原油相場の上昇が原因だが、国際原油相場にあわせて燃料費を上げ下げする仕組みはテメル政権が導入したものだった。左派政権時は、ガソリンや軽油価格を抑えるため、原油相場の上昇時はペトロブラスが価格上昇分の一部を負担するかたちとなっていた。制度の変更がトラック運転手を直撃したため、いわばテメル政権の犠牲者として扱われた。

トラック運転手の多くが零細・自営業者であることも市民の同情を誘った。燃料費がいくら高くなろうとも、運転手は顧客である企業に対して価格交渉権を持っておらず、赤字受注を強いられていたことがストを通じて明らかになった。経済を破壊しかねない一斉ストという強硬手段も、追い詰められた運転手の最後のあがきとして市民は応援した。

軽油価格を一方的に引き上げた政府とペトロブラス、そしてトラック運転手を搾取する大企業――。こういった単純化された構図が国中に広がり、9割近い国民が抗議活動を肯定的に受け止めるに至ったわけだが、もちろん、こんな単純な話ではない。国際相場を無視して軽油やガソリン価格を抑え、国営企業であるペトロブラスに負担を回すかつての仕組みはゆがみを生み、まわりまわって国民のツケとなった。トラック運転手と大企業のいびつな契約が是正されるべきなのは言うまでもないが、結果的にストで最も大きな打撃を受けたのは、資金繰りの余裕がない中小・零細企業だった。

海外企業にとってブラジルのカントリーリスクは上昇し、現地に進出する日本企業の間でもストを契機に投資計画を見直すという話も浮上していた。経済的な観点だけで見れば自らの首を絞めるような行為であり、大手メディアはこうした情勢を客観的に報じていた。しかし、左右を問わず、多くの国民はこうした情報に見向きもしなかった。支持率数%のテメル政権が行うことはすべて悪であり、叩ける要素があればそれがなんであれ、全力で叩いた。

汚職まみれで国民を裏切った左派政権も、大企業と結託して民意を無視して政治を動かす既存政党も、多くの国民にとっては非難すべき対象だった。行き場のない憤りがブラジル全土を覆う中、数カ月後の大統領選に向けて一人の男が注目を集めるようになっていた。ジャイル・ボルソナロ。左派でも中道でもないブラジル政治の傍流にいた異端児は、人々が手に持つスマートフォンを通じて、急速に影響力を拡大しつつあった。

トランプ研究で泡沫候補から大統領へ

「ブラジルのトランプ」「熱帯のトランプ」「リオのトランプ」。かつて海外メディアがボルソナロを紹介する時に使われたキャッチフレーズだ。過激な発言、テレビや新聞など既存メディアを敵視しSNSで有権者と直接つながる姿勢、キリスト教福音派との密接な関係。トランプとボルソナロ、両者の共通点は確かに多いが、これは偶然ではなく、ボルソナロがトランプを参考にしたからに他ならない。

米国でトランプ政権が誕生したのが2017年1月。ボルソナロの選挙陣営は18年10月の大統領選に向け、トランプ政権の誕生過程を徹底的に研究し、トランプとボルソナロのイメージを重ねる戦略を採用した。市民の間で政治やメディアへの不信感が高まる中、アウトサイダーの立場から政治やメディアを批判して支持を集めるという手段はトランプが生み出したものだ。泡沫候補の一人にすぎなかったボルソナロはこの手法を模倣し、トランプ旋風に乗っかるかたちで一躍大統領候補の本命に躍り出た。

左派政権の崩壊やテメル政権の不人気で政界が揺れる中、18年の大統領選に向けて出馬を表明していたボルソナロだったが、ブラジル国内での知名度は決して高いとは言えなかった。小政党を転々とする、過激な言動で知られる変わり者の元軍人。私がサンパウロ支局長に着任した17年の時点で、ブラジル政治の専門家に話を聞いてもその程度の認識だった。

当時、下院議員として25年以上のキャリアを持っていたボルソナロだが、地元メディアの過去の記事を読んでも名前が登場するのは政敵に対する「銃殺されるべきだ」といった過激な発言、「同性愛者の子どもを愛することはできず、事故で死んだほうがマシだ」といった同性愛者への暴言、「おまえをレイプしないのは、それに値しないからだ」といった侮蔑《ぶべつ》的な発言ばかりで、政局での立ち振る舞いや立法に関する実績はほとんど見当たらなかった。要するに、政治的な実績はほとんどないが、過激発言が一部の層に受けている、カルト的な人気を誇る議員というのが実態だった。

しかし、ラバ・ジャットをきっかけに始まったブラジル政界の混乱が、ボルソナロにかつてない追い風となった。低所得者層を中心にルラ個人に対する根強い人気は健在だったものの、当のルラは汚職疑惑で数々の裁判の渦中にあり、出馬は難しいとみられていた。テメル率いるPMDBをはじめとした伝統政党に対する不信感も強く、相次ぐ汚職発覚で支持する国民はほとんどいなかった。PT政権の誕生から14年、この間、政治に関わっていた有力政治家は軒並み汚職に関わっていたとして国民からノーを突きつけられており、大統領選は本命候補不在の様相を呈していた。

政治の中枢から離れていたボルソナロはこの状況を巧みに利用した。左派政党も中道政党も汚職で腐っており、政治を変えることができるのは自分だけだと声高にアピール。ボルソナロが特に清廉潔白な政治家というわけではなく、ただ単に利権のおこぼれにあずかれるようなポジションに就くことができなかったというだけだが、多くの国民にとって、「既存政治からの脱却」という文脈でボルソナロは魅力的に映った。しがらみのないアウトサイダーだからこそ既存の政治を変えられるという語り口は、トランプがよく使ったものだ。

トランプ流はそれだけではない。ボルソナロ陣営が注目したのは、新聞やテレビといった既存メディアではなく、SNSだった。もともと、ブラジルではテレビの影響力が大きい。水道が通っておらず、エアコンもないようなファベーラの家ですら、リビングにはテレビがあり、人々は週末ごとにサッカー観戦を楽しんでいる。特に選挙戦終盤ではテレビが最大の情報発信網となるため、多くの有識者はテレビ広告に多くの資金を投じることができる既存政党が有利になると予想した。

しかし、ボルソナロの選挙陣営は自らに不利なテレビを捨て、スマートフォンを意識した選挙戦を展開した。米ピュー・リサーチ・センターによると、18年の時点でブラジルのスマホ・タブレット所有数は8400万人を超え、成人の54％が所有するまでになっていた。5年前にはわずか15％だったが、中国製の安価な製品が流入するようになり、一気に普及が進

SNSを管理するボルソナロ事務所のスタッフ（ブラジリア）

んだ。人々が既存メディアを介さずに直接政治家とつながるようになっていることに目をつけたボルソナロ陣営は、この分野で圧倒した。

ボルソナロはツイッターやフェイスブック、ワッツアップを活用し、自らの言葉を直接有権者に届けた。選挙戦当時、首都ブラジリアでボルソナロの選挙陣営を取材したことがあるが、部屋にはパソコンが並び、スタッフが次々と投稿にいいねを押したり、コメントを返したりしていた。今でこそ政治家がＳＮＳを活用するのは当たり前だが、当時、ブラジル国内でここまで組織的にＳＮＳに取り組んでいたのは、ボルソナロ陣営だけだった。

こうした地道な取り組みもあり、ボルソナロは徐々に支持を集めるようになっていた。ダタフォリャが17年9月に実施した世論調査では、ボルソナロの支持率は9％で、ルラに続いて2位になっていた。18年に入ってからもその勢いは衰えず、常に二番手であり続けた。ブラジル政治の専門家は口をそろえて「ボルソナロ人気は一過性なものだ」と予想していたが、こうした批判すら燃料に変え、ボルソナロブームはブラジル全土へと広がりつつあった。

ルラの出頭で焦点はボルソナロへ

ボルソナロが着実に人気を得ていく半面、大統領になる上でどうしても乗り越えなければいけない壁があった。左派のカリスマ、ルラの存在だ。各種世論調査でボルソナロは二番手まで上昇したとはいえ、あくまでトップに立つルラとの差は大きかった。左派政権時代の汚職スキャンダルがどれほど酷いものであっても、多くの低所得者層にとって、生活水準の向上という目に見える形で恩恵を与えたルラは神に等しい存在であり、無批判に支持する「岩盤支持層」は常に3割程度いた。

ルラとの差を詰め切れず、決定打に欠くボルソナロの背中を押したのは司法だった。2018年4月、ブラジルの連邦第4地方裁判所（二審）はルラに対し、出頭を命令した。ルラは同年1月、国営石油会社との契約で便宜を図る見返りに、建設会社から高級マンションを違法に受け取った容疑で禁錮12年1カ月の有罪判決を受けていた。ブラジルの憲法では二審で有罪判決が出た時点で大統領選の出馬資格を喪失する仕組みだが、ルラの弁護団は異議申し立てなど法的手続きを乱発し、時間稼ぎを狙っていた。出頭命令は、このまま大統領選に突入することで混乱が生じるのを懸念した司法側の判断だった。

裁判所からの出頭命令に対し、ルラは籠城という手段で対抗した。ルラがかつて労働組合の闘士として活動した金属工業労働組合のビルに立てこもっているというニュースが伝わると、サンパウロ郊外にある労組の建物には数え切れないほどの支持者が集まり、裁判所や警察に対する非難集会を開催。夜にも関わらず、周辺にはテレビ局の中継車やヘリコプターが集結し、緊迫した雰囲気となった。

ルラが立てこもる金属工業労働組合の建物を訪れると、そこはルラの所属政党や労働組合のシンボルカラーである赤色のTシャツを着た人々が続々と集まっており、「ルラを守れ」と気勢を上げていた。彼らの話を聞くと、汚職疑惑というのはルラを陥れるためのでっち上げで、ルラはあくまで被害者だというプロパガンダをそのまま信じている者も多い。マイクでがなり立てる労組の幹部は徹底抗戦を唱えており、危ない盛り上がり方をしているように見えた。

支持者に取材をしていると、労組のメンバーが集まってきた。日本から来た記者だと告げると、「よく来てくれた。今、この国で起こっていることを日本にも伝えてくれ」と歓迎され、建物の中を案内してくれた。ルラに会わせてくれという希望は通らなかったものの、海外からやってきた記者に対して非常に好意的で、「この国のメディアは操作されている」「P

ルラの収監に抗議する支持者（サンベルナルド・ド・カンポ）

Tはクーデターの被害者だ」と口々に熱く語っていた。自分たちに都合の悪い報道をするメディアをすべて敵に仕立て上げ、内部の引き締めを図るという手段を採っている時点で、左派陣営が追い込まれていることは明らかだった。

結局、ルラは出頭要請から丸一日建物に立てこもった後、迎えに来た警察官らに出頭した。「真実と無罪を証明する」と言い残して去って行く中、残された支持者からは嗚咽の声も聞こえた。左派のカリスマの大統領選からの退場は、半年後に迫った大統領選の構図を大きく変えた。メディアや市場にとって最大の関心事は、ルラが抜けた後、世論調査で首位に立つボルソナロがどのような人物なのかということに移っていた。

インタビューから見えた人物像

ボルソナロとはどのような人物なのか。大統領選から5カ月前の2018年5月、この謎を解くこの上ない機会に恵まれた。ボルソナロの選対陣営から、単独取材に応じるという連絡がきたのだ。当時、サンパウロに駐在していた日本や欧米メディアの記者との話でも、ボルソナロ陣営に取材を申し込んでも返信すらないという話しか聞こえてこなかったので、インタビューが入ったと助手から伝えられた時は何かの間違いかと思ったほどだ。

ブラジリアの議員会館で取材を受けるというので、指定された時間に乗り込み、待つこと2時間。ついにボルソナロ当人が現れた。身長185センチメートルの巨軀を揺らせて登場し、開口一番「申し訳ない、前の予定が長引いて」と謝罪から入る姿勢はテレビを通して見る強面のイメージとはかけ離れており、どこにでもいそうな陽気で気さくなブラジル人だった。

インタビューに応じるボルソナロ

何故、世界中のメディアの中から我々を選んだのか。その理由は、すぐに明らかになった。「私は日本を尊敬している。ブラジルを日本のような国にするためにはどうしたら良いと思う?」と語りかけるボルソナロは社交辞令ではなく、地球の反対側に位置する日本のことをよく勉強していた。インタビューの3カ月前に日本を訪れており、静岡県浜松市に住む日系ブラジル人から熱狂的な歓迎を受けたことも、日本に対する印象を良くしているように見えた。

もっとも、「親日家」と呼ばれる海外の政治家の多くがそうであるように、ボルソナロの持つ日本のイメージは偏ったものだった。「ブラジルでは8歳の子どもを誘拐して殺人を犯した犯人がわずか6年で刑務所から出られる。それでは治安が良くならない。日本には死刑制度があると聞いたが、治安に効果はあるのか」と逆に取材してくる始末で、そもそも刑罰に対する考え方や宗教まで根本的に異なる両国の事情を比較して説明するのは骨が折れた。

ボルソナロが私を選んだもうひとつの理由に、経済メディアの記者であるということがあった。「ブラジルは良い資源を持っており、日本は高い技術を持っている」「北部の資源を共同開発しよう」「日本のような先進国と2国間で自由貿易を求めるべきだ」――日本の経済メディアである日本経済新聞を通じて、日本企業へのメッセージを発信していることは明らかだった。

左派嫌いで知られるボルソナロは反汚職で左派を攻撃する傍ら、「左派が破壊したブラジル経済を復活させる」というイメージ戦略を採っていた。従来の過激な言動を控えて経済フアーストで政権運営に取り組むという姿勢は、国内外の企業や投資家に対するアピールにもなっていた。また、取材中、「現在、中国は重要な取引先だ。しかし、中国はブラジルから買っているわけではなく、ブラジルを買っている」と述べるなど、公然と中国警戒論を唱えるボルソナロにとって、中国を牽制するためにも日本の存在は適当だったのだろう。

インタビューは和気あいあいと進んだが、ボルソナロの表情が変わった瞬間があった。私が過去の軍事独裁政権について訪ねたときのことだ。こちらの質問を途中で遮り、「いいか、レッスンをしよう。ブラジルの歴史上、軍事独裁政権なんてものはなかった。ただの軍事政権だ。実際に独裁を企んでいたのは共産主義者で、キューバで訓練を受けていた」とまくしたててきたのだ。その眼は冷え切っており、先ほどまでの笑みはなかった。この話題が終わった後は再び元の気さくなブラジル人に戻っていたが、そのコントラストが非常に印象的だった。

政権運営を見据えて日本との関係や経済再生についてジョークを交えて和やかに話す顔を見せつつ、海外メディアの記者を前に、歴史修正主義とも受け取られかねないイデオロギーについて熱弁を振るう。これが私の見たボルソナロの姿だった。

1時間そこらのインタビューで何が分かるのかと言われればそれまでだが、少なくともボルソナロはメディアで伝えられるような単純な過激主義者ではない。自分がどう振る舞えば目の前の人間に喜んで貰えるか理解した上で行動するサービス精神が旺盛な人間であり、数々の暴言もそれが支持者に受けると判断しているからにほかならない。一方、イデオロギーや思想信条については絶対に譲れない一線があり、そこに関しては自分を制御できていないようにも見えた。

個人的にも、ボルソナロは一人の人間としては非常に魅力的で、一緒に酒を飲んだら愉快だろうなとは思う。一方で、国の指導者として適当な人物であるかどうか、判断しかねた。しかし、既にボルソナロ旋風はSNSの中だけの存在ではなく、大統領選の最有力候補となっていた。ルラという主を失った左派陣営も、汚職スキャンダルで国民からそっぽを向かれる伝統政党も、ボルソナロに立ち向かえる対抗馬を持っていなかった。

「規律あるブラジルを取り戻す」

過激な発言で知られる差別主義者から一躍、大統領選の最有力候補となったボルソナロは選挙戦を通じて主役であり続けた。その印象をより強くしたのが、投票日の1カ月前である2018年9月に起こった事件だった。訪問先のミナスジェライス州で支持者向けの集会に参加していたボルソナロが刃物で腹部を刺され、重傷を負ったのだ。

傷口を手で押さえ苦しむボルソナロの様子は繰り返しテレビで流され、ブラジル社会に衝撃を与えた。犯人は単独犯で精神疾患を抱えており、弁護士によると過去のボルソナロの差別発言に対して憤りを感じていたという。病院に緊急搬送されたボルソナロは一命を取り留め、ツイッターでは「頑張れボルソナロ」という意味のハッシュタグがついた投稿が拡散された。

事件直後にダタフォリャが行った世論調査によると、ボルソナロの支持率は24％と、8月下旬の前回調査から2ポイント上昇。2位に11ポイントの差をつけた。他社の調査でも同様の傾向で、事件がテレビで繰り返し報道されたことで同情票が掘り起こされた。敵をつくるスタイルのボルソナロは不支持率も43％と全候補中最も高く、決選投票に進んだ場合に苦戦するとの見方があったが、事件を機に雰囲気は変わりつつあった。

事件を受け、ボルソナロは「医師から止められた」としてテレビ討論会への出席をすべて取りやめた。代わりに力を入れたのがＳＮＳを通じた情報発信だ。フェイスブックのライブ配信を通じ、支持者に一方的に語りかけた。政策論争が深まらなかったことは、結果的にボルソナロの追い風になった。

大統領選の第1回投票では46％の得票率で、ＰＴからルラの代わりに出馬したアダジ元サンパウロ市長の29％に大差をつけて決選投票に進出。左派陣営はボルソナロの存在そのものを「民主主義の危機」と位置付けて市民に投票を呼びかけたが、汚職まみれのＰＴに対する反感も高く、ボルソナロとＰＴ、どちらが嫌いかという不人気投票では何の実績もないボルソナロの方が有利だった。

決選投票当日の朝、リオの投票所に姿を現したボルソナロは自動車の窓から身を乗り出し、

ボルソナロの当選を喜ぶ支持者（リオデジャネイロ）

支持者に向かって満面の笑みで手を振っていた。既に、勝敗は決していた。夜、開票速報を待つことなく、ボルソナロの支持者はサッカーブラジル代表の黄色いユニフォームやボルソナロの顔が印刷されたTシャツを身にまとってボルソナロの自宅前の大通りに集まり、ビール瓶片手にブラジル国旗を振って喜んだ。「共産主義に打ち勝った」という、ボルソナロの主張をそのままなぞる支持者も見受けられたが、大多数は普通に生活する、過激思想とはほど遠い一般市民だった。

軍事独裁政権を称賛し、差別発言を繰り返すボルソナロが人気を博した背景には、「かつての規律あるブラジルを取り戻す」というスローガンが多くの人々の胸に響いたからでもある。軍出身のボルソナロは選挙戦を通じ、治安対策を強化すると掲げた。ダタフォリャが18年3月に発表した調査では、リオ市民の2割が過去1年で強盗に遭い、3割が発砲事件に遭遇した経験があると回答した。リオデジャネイロ州では人口10万人あたりの殺人件数が年間40件ほど。これは日本全体の約140倍にあたる。

これはリオに限った話ではない。麻薬組織が各地に縄張りを持ち、一般市民が銃撃戦に巻き込まれることもめずらしくない。軍事政権を懐かしむ高齢者の多くは、当時は治安が良かったと振り返る。街を出歩くのも危険な国に不満を持つ人々にとって、犯罪者への厳罰適用を掲げるボルソナロは魅力的に映った。

汚職、治安、経済。様々な要素が、ボルソナロという型破りの指導者を生み出したのであって、大多数のブラジル人が過激思想に感化された訳ではない。にも関わらず、ブラジルの大手メディアはボルソナロの過激な言動を取り上げて批判することに血道をあげ、人々のこうした心情をつかみ切れないまま、空回りした。「法律は皆のものであり、憲法と民主主義に則った政治はかくあるべきだ」。当選を受けて、ボルソナロは勝利宣言した。「ボルソナロは憲法を無視し、民主主義を破壊する」というメディアのネガティブキャンペーンに対する意趣返しであることは明らかだった。

最初は経済政策が功を奏する

大統領に当選したボルソナロの一挙手一投足に注目が集まる中、当の本人は意外なほど安全運転を心がけた。経済政策の司令塔には経済学者のパウロ・ゲジスを指名。米シカゴ大学で、経済学者のミルトン・フリードマンの下で学んだゲジスは国営企業の民営化や年金支給額の抑制による財政再建など、新自由主義的な路線を主張してきた。また、市場の信頼が厚い中央銀行のゴールドファイン総裁には留任を要求。就任前から大企業の幹部やエコノミストと面談を重ねるなど市場との対話を重視する姿勢が好感され、主要株価指数のボベスパは就任を前に最高値を更新した。

2019年1月1日の就任式では「我々はインフラを増強し、官僚主義を排除し、生産者や労働者から負担を取り除く」と宣誓し、雇用創出や経済再建に最優先で取り組むと表明。「政府は収入以上に支出しない」と語るなど、左派の野放図なばらまき路線と決別すると断言して経済界を喜ばせた。

就任演説では「国民を社会主義から解放する」と述べ、ベネズエラやキューバなどの反米左派国と親密だった歴代左派政権からの方針転換をアピールするなど「ボルソナロ節」は健在だったが、イデオロギー的な主張は控えめだった。

就任から間もない3月、ボルソナロが米国を訪問すると発表した。ボルソナロの陣営がトランプの選挙戦略を真似ていたことは紹介したが、ボルソナロのトランプへの入れ込みようはかなりのものだった。従来、ブラジルは南米大陸を代表する大国として北米の超大国である米国とは一定の距離を保っていたが、ボルソナロはそんな外交慣例は関係ないとばかりに、米国との関係強化に動いた。

当時、政権後半に入っていたトランプは前年の米中間選挙で思ったような結果を出せず、国際的にも孤立していた。そんな中、親トランプを公言する「ブラジルのトランプ」が本家トランプに会って何を話すのか、ブラジルメディアは大盛り上がりだった。幸運なことに、私もワシントンまで出張し、ボルソナロの外交戦略を取材する機会に恵まれた。

ワシントンまで同行していたブラジル人記者団の中には、在イスラエル・ブラジル大使館の聖地エルサレムへの移転や、温暖化対策の国際枠組みであるパリ協定からの脱退をサプライズで発表するのではと予測する記者もいたが、全米商工会議所やホワイトハウスでのスピーチでボルソナロが時間を割いたのは経済協力の重要性だった。

ボルソナロはルラが主導した独自外交路線を「反米的だ」と批判した上で、「自由と繁栄のパートナーシップの始まりだ」とアピール。トランプに対し、通商やエネルギー分野での連携強化を呼びかけた。ボルソナロからサッカーブラジル代表のユニフォームを受け取ったトランプは終始上機嫌で、「わたしたちの貿易はこれまであるべき姿ではなかったが、もっと多くなるはずだ」と返した。イデオロギー色を抑え、経済を最優先にする姿勢は私を含む記者団が拍子抜けするほどだった。

経済を最優先とするのは、それがボルソナロ自身の生命線だと理解していたからだ。ブラジル国民の多くはボルソナロの唱える保守的な価値観を支持したわけではなく、左派政権で

トランプと会談するボルソナロ

低迷した経済の立て直しを求めてボルソナロに投票したのだ。SNSやテレビカメラの前であえて物議を醸すような暴言を吐く悪癖は変わらなかったが、こうした支持者向けの「リップサービス」もほどほどに、経済政策では国営企業の民営化や外国人観光客受け入れのための入国ビザの要件緩和など、実利を採る戦略を採用した。

ボルソナロ政権のビジネスフレンドリー的な政策の象徴が、自由貿易協定と財政再建だ。就任から半年後の19年6月、ブラジルやアルゼンチンなど南米4カ国が加盟する関税同盟、南米南部共同市場（メルコスル）は欧州連合（EU）とのFTA交渉で政治合意したと発表した。両者の交渉は00年に始まったものの、03年にブラジルとアルゼンチンで保護主義を掲げる左派政権が誕生し、中断していた。

EUからメルコスルへの輸出額は年間450億ユーロ（約5兆5000億円）、輸入額は426億ユーロと巨額で、関税の撤廃や軽減で大きな経済効果が期待された。南米諸国にとっては欧州製の自動車や機械が流入する一方、競争力がある農畜産物の輸出が増えることで、トータルで経済を押し上げると試算されていた。労働組合などの猛反対を押し切ったのは、アルゼンチンのマクリとブラジルのボルソナロという、地域の2大国に自由貿易に前向きな姿勢を持つ指導者がいたからにほかならない。

そして自由貿易以上にブラジル経済にとって大きかったのが、19年10月に成立した年金改革法案だ。ブラジルの年金制度は50歳代から受給できる上、給付水準も高く、過度に手厚い年金給付は財政赤字の要因になっていた。ボルソナロ政権は支給開始年齢を原則女性で62歳、男性で65歳に段階的に引き上げたほか、満額受給のための積立期間も設定し、就労期間を延ばした。

経済協力開発機構（OECD）によると、ブラジルの現役世代の平均的な手取りに対する年金額の比率は14年時点で約76%と、OECD加盟国平均の63%を大きく上回る。早々にリタイアでき、十分に暮らせるだけの年金を支給されるという夢のような話だが、財源は現役世代の負担に他ならず、税金で補填する仕組みにより、18年の年金財政は2900億レアル（約7兆7000億円）の赤字となっていた。

PTをはじめとした左派の野党陣営は「ボルソナロが社会保障を破壊した」と反発したが、

中道の伝統政党を含めた議会の多数派が年金改革に賛同。これまで大衆迎合的な政党の怠慢により見て見ぬふりをされてきた社会課題にメスを入れるボルソナロに対し、経済界は拍手喝采を送った。ジェトゥリオ・バルガス財団の教授、マウロ・ホシリンは「歳出削減額は当初の期待よりも低かったが、重要な前進だ」と評価した。

もっとも、欧州とのFTAにせよ、年金改革にせよ、ボルソナロのリーダーシップによって実現したものとはいいがたい。交渉の最前線にボルソナロが立つことはなく、基本的に議論を引っ張ったのはゲジス経済相だった。「経済はよく分からないから経済政策はゲジスに任せる」という判断そのものはボルソナロの功績といえるが、本当に経済最優先だったかと言われると疑問符が付く。

後になって振り返ると、イデオロギーを封印して経済を優先するという作戦は、ボルソナロの忍耐という、あってないようなものの上に成り立つ繊細なものだった。政治家の資質は、危機の時にこそ発揮される。「危ういところもあるが、経済政策では期待以上」ということまで書いてきたボルソナロの評価はあくまで順風時のものでしかない。真価が問われる困難な状況で、ボルソナロの暴走はブラジル経済を悪いほうに導くことが多かった。そして最悪なことに、ボルソナロの4年間の任期中、順調だったのは最初だけで、途中からは逆風続きだった。アマゾン森林火災、そしてコロナ禍。ボルソナロの名前は、ブラジルという枠を超え、世界各国のトップニュースで報じられる事態となった。それは、欧州とのFTAや年金改革といった功績を帳消しにした上で、マイナスとするようなものだった。

アマゾン農地開拓のリアル

2019年8月。サンパウロの自宅で原稿を書いていると、突然、外が真っ暗になり、雨が降った。季節外れの夕立かと思っていたが、どうやら様子がおかしい。雨が黒いのだ。「黒い雨が降っている！」。ツイッターがこの話題で持ちきりになると、ほどなく地元ニュースが大きく取り上げた。「森林火災の影響で、黒い雨が降っているようだ」。サンパウロ市民は、その肌で自然災害の規模の大きさを思い知ることになる。既に、アマゾン熱帯雨林の森林火災はブラジルを飛び越え、国際ニュースとなりつつあった。最大の要因は、火災そのものではなく、ボルソナロの暴走だ。

アマゾン熱帯雨林で知られるブラジルには肥沃な森林が広がっている。広大な国土面積に占める森林の割合は約6割で、実に日本13個分にあたる。衛星写真を見ても、中部から北東部をのぞき、国土の大半が緑に覆われていることが分かる。ブラジルの国旗が緑を基本としていることも分かるとおり、ブラジルは森の国だ。

サンパウロの黒い雨の正体はブラジル北部のアマゾンや中西部の湿地帯パンタナール、隣国のパラグアイやボリビアなど周辺で森林火災が発生したことで煙が都市部まで流れてきたことが原因とされる。日本でいえば、沖縄や北海道で発生した火災の影響が東京で体感されたと思えば、そのスケールの大きさが実感できるだろうか。遠く離れた場所での火災が気候に影響を与える状況を目のあたりにし、都市部に住む人々はその災害規模を思い知ることとなった。

もともと、ブラジルにおいて、森林火災は珍しい話ではない。「ケイマダ（山火事）」はアマゾンの乾期にあたる冬の恒例ニュースだ。しかし、19年は例年とひとつだけ違うことがあった。国のかじ取りをする大統領がボルソナロだったのだ。世界的な気候変動を受け、環境問題への関心が高まっている中、ニューヨークタイムズが「13年の記録開始以来、最大の森林火災」と報じるなど、欧米メディアはこの問題を大きく取り上げた。ドイツやノルウェー政府はボルソナロ政権が森林保護に消極的だとして、アマゾン保護に使われる「アマゾン基金」への資金拠出を停止した。

こうした中、ボルソナロの「反撃」がはじまった。「アマゾン基金の40％は環境主義者たちの避難所となっているNGOに使われている」「NGOの職員はブラジル政府にダメージを与えるため、犯罪を行っているかもしれない」と、根拠なく欧米のNGOを批判。フランスのマクロン大統領が「G7首脳会議で議論すべきだ」と発言すると、「当事国（ブラジル）を除いてG7で議論しても植民地主義の見当違いの考え方を呼び起こすだけだ」と真っ向から反論した。G7で決まった資金援助2000万ドル（約21億円）について「内政干渉だ」として受け入れを拒否したほか、フェイスブックではマクロンの25歳年上の夫人を嘲笑するような投稿をした。政権内に、誰もボルソナロの暴走を止められる者はいなかった。

ボルソナロの暴走のツケは高くついた。「ティンバーランド」や「バンズ」などを手掛ける米衣料品製造大手ＶＦコープは森林火災を受け、「我々の製品に使われる素材が環境被害にくみしていないと確信できるまで、ブラジル製の皮革を調達しないことを決めた」と表明。ブラジル産製品に対するボイコットが欧米で起こったほか、ボルソナロの功績だったはずの欧州とのＦＴＡも欧州側の反発で批准手続きが止まるなど、事実上の経済制裁が始まった。

森林火災の原因の多くは農地開拓のための野焼きが原因であり、森林開発を奨励するボルソナロ政権の発足が森林火災の引き金になったことは確実だ。しかし、冷静に見れば、ボルソナロ、そしてブラジルが悪目立ちしていたというのも明らかだった。当時、気候変動の影響で森林が乾燥しているという事情もあり、ボリビアやコロンビアなど周辺国でも森林火災が頻発していたが、これらの国の首脳は欧米を挑発するようなことをしなかったため、国際問題にはならなかった。どうしてボルソナロは経済に悪影響だと分かっていながらも、このような行動をとるのか。その謎を解く鍵を求め、私は森林火災の現場であるアマゾンに飛んだ。

サンパウロから飛行機を乗り継ぎ数時間、北西部パラ州の港町、サンタレンに着いたのはアマゾン森林火災が国際的な問題となっていた最中の８月末だった。南半球では冬の季節だが、赤道近くのサンタレンは真夏のような気候で、強烈な日差しがじりじりと肌を焼く。レ

農地のため伐採された熱帯雨林（パラ州）

ンタカーを借り、市街地から赤茶けた道路を運転すること1時間。目指すものがあった。農地開発のため、伐採された木々だ。野焼きにより、一部は焦げている。

「俺の土地で何を撮っているんだ！」。畑に向かってカメラを構えていると、ドスのきいた声が聞こえた。大型ピックアップトラックの運転席から太い二の腕をのぞかせたハイムンドと名乗る男は、出会った瞬間からけんか腰だった。自分は日本人の記者で、アマゾンの森林伐採の取材をしていると伝えると「自分の土地の木を切るのに、なんで日本人に非難されないといけないんだ。ここはブラジルだ」とまくし立てた。そこには明確な敵意があった。

ブラジル国内ですらあまり知られているとはいいがたいサンタレンを取材場所に選んだ

のは理由がある。大豆だ。かつてアマゾン川流域の通商で細々と栄えた港湾都市は近年、大豆輸出の拠点として注目を集めていた。サンタレンの港には穀物メジャーの米カーギルが大型サイロを備えたターミナルを構え、周辺地域から大豆を載せた小型船やトラックが集まる。

森林に囲まれた国道から細道に入ると、森林の割合がだんだん減り、畑が多くなる。細切れにされた森林は熱帯雨林というより、雑木林と呼んだ方が適切な規模だ。ハイムンドの畑があったのは、そんな場所だった。畑の脇に雑然と並べられた木々は、火をつけ、燃やされた森林の中で残ったものが切り出されたものだ。

ブラジル国立宇宙研究所（ＩＮＰＥ）によると、18年7月に伐採されたアマゾンの森林は前年同月比で3・8倍の約2255平方キロメートルと、東京都の面積を上回った。1～7月の累計でも前年同期比約7割増だ。農地開発を推奨するボルソナロの下、違法伐採が相次いだという説明は理解しやすい。この部分だけ切り出すと、ボルソナロを支持し、森林に火をつける人々が悪いようにも見える。

一方、ハイムンドら農家にも言い分はある。アマゾン周辺に住む人々にとり、アマゾンの森林開発は生きるための手段だった。木々を切り倒して野焼きを行い、まっさらな土地にして農業や畜産に取り組むことで、はじめて現金収入を得ることができる。ブラジル北部やボリビアに移住した日系人の話を聞いても、農地開拓とは森林伐採にほかならない。森林伐採が非難されるようになったのは、環境意識が高まった近年のことだ。それに、足元の森林伐採面積が急増しているとはいえ、規模だけで見れば15年前の半分以下の水準にとどまる。ハイムンドからしてみれば、「何故我々だけ世界から非難されなければならない」となる訳だ。

ボルソナロは「アマゾンはブラジルの所有物で、他国に口を出す権利はない」と繰り返してきた。環境保護の観点から欧米諸国や環境団体は強く反発するが、ハイムンドは「海外から攻撃されようと、俺はボルソナロを支持する」と断言する。自動車の後部には、昨年の大統領選で使われていた、ボルソナロのステッカーが貼られていた。

00年代に入り新興国の雄として高成長を遂げたブラジルだが、産業は南部に集中し、北部はいまだに貧しいままだ。サンタレンが位置するパラ州の平均月収は1468レアル（約3万7000円）と、サンパウロの約半分にすぎない。その日暮らしの小規模農家にとり、「地球の酸素の20％をつくり出すアマゾンは地球共有の財産だ」という先進国からの言葉は現実からかけ離れたきれいごとでしかない。そもそも、アマゾン流域から出荷される大豆は世界中に輸出されるものだ。野焼きにより焼け野原になった森林に牛を放ら、牧草地として活用している例もある。そこでつくられた牛肉の多くは、海外に輸出される。地球上に増えすぎた人口を支えるための農畜産業をブラジルが請け負っているという側面を無視し、ブラジルだけを悪者かのように扱う欧米諸国に対するブラジル人の怒りを欧米の主要メディアがきちんと扱ったとはとても思えない。

ちょうどこの取材をしている時期、環境保護に熱心な米俳優レオナルド・ディカプリオがブラジル政府を批判したというニュースが世界中をかけめぐっていた。日本を含む先進国では環境保護に取り組む「善」と環境破壊を推進する「悪」というハリウッド映画のような勧善懲悪の単純な構造で報じられていたようだが、温暖化ガスを排出するプライベートジェットや大型クルーザーを乗り回すセレブが発展途上国の貧しい地域が発展する機会を奪うという構図は、ボルソナロにとっては格好のターゲットだった。ハイムンドら北部の農家にとって、ボルソナロは海外からの不当な圧力と戦うヒーローとなった。

もともと、貧しい北部はPTをはじめ左派が強い。しかし、政治的にボルソナロと対立する人々ですら、先進国の口出しは不当な介入に映ったようだ。零細農家のマリナ・シルバ・リマは「ボルソナロは嫌いだけど、森林だけあってどうやって暮らせばいいんだ」と話す。彼女が暮らすれんが造りの粗末な住宅にはガスや下水道も通っていない。経済活動を犠牲にして、環境保護のために森林を守れという思想は到底受け入れられないものだ。

カーギルをはじめ、周辺地域で収穫された穀物を買い取り、輸出する企業は「我々は森林保護に力を入れている」と主張するが、大豆が本当に森林火災に関係していないか確認するトレーサビリティは不十分だといわざるを得ない。先進国の欺瞞を、アマゾン周辺に住む人々は肌で感じている。欧米の主流メディアに無視された、光が当たらない人々の意見をボルソナロは巧みに吸い上げた。

ボルソナロは「アマゾンには2000万人のブラジル人が住んでおり、彼らが発展できる機会を与えられなければならない」と繰り返し述べ、北部の人々に対し、自分は味方だとアピールを重ねた。こうした行動はブラジル国民の愛国心を刺激した。あれだけ大々的に報道され、集中砲火を受けたにも関わらず、ボルソナロの支持率はほとんど変わらなかった。

もっとも、ブラジル経済が受けた傷は浅くない。欧州を中心に、ブラジル産の大豆や食肉を扱う企業に対するボイコットが発生するなど、ブラジル産品のイメージは大きく傷ついた。新型コロナウイルスやウクライナ情勢など大きなニュースに隠れているが、その後もブラジルでの森林火災は止まっていない。政権交代でボルソナロが表舞台から消え、アマゾンの森林保護を唱えるルラが当選したことで違法な森林伐採は減少するだろうが、森林破壊がすぐに止まることはないだろう。信頼回復には長い時間がかかる。何より、森林保護と格差解消の両立という根本的な問題はなにも解決していない。

「地球の肺」と呼ばれるアマゾン熱帯雨林は多くの温室効果ガスを吸収するだけでなく、生物の宝庫でもある。実際に足を運べば分かるが、海と見間違えるかのような広大なアマゾン川にはイルカをはじめ多くの生物が暮らしており、どこまでも続く豊穣な森林は人知を超えたものだ。取材の際、ドローンを飛ばして上空から撮影した空撮写真には、無残に切り刻まれた森林と大豆畑が映っていた。目を背けたくなるような状況だったが、先進国で豊かな暮らしを享受してきた私にハイムンドたちを非難する権利はない。アマゾン熱帯雨林の惨状は、ボルソナロ一人がつくり出したものではない。経済のグローバル化が進む中での、民主主義や国家間の利益配分のあり方をも問いかけているようだった。

順調だった経済を新型コロナが直撃

アマゾン熱帯雨林の森林火災でボルソナロの暴走のリスクが明らかになったものの、政権2年目となる2020年は静かな滑り出しだった。支持率は3割程度で安定しており、1月に開催されたダボス会議には「経済問題では彼が私の上司だ」とボルソナロが全幅の信頼を寄せるゲジス経済相を派遣。「ブラジル産業の競争力を保証するために、規制緩和や減税、税制の簡素化を徐々に進める」というゲジスのスピーチは海外の投資家から好意的に受け止められた。

ブラジルの主要株価指数ボベスパはボルソナロの就任前から3割超上昇。失業率は11・2%と、約3年半ぶりの低水準となった。IMFが1月に発表した2020年の経済成長率予測では、世界主要国の成長率を相次ぎ下方修正したにも関わらず、ブラジルに関しては成長率見通しを2・2%に上方修正した。この頃、南米ではアルゼンチンの通貨下落やチリの暴動など悪いニュースが飛び交っていたが、こうした国々と比べてもブラジル経済は堅調だった。個人消費も回復傾向にあり、週末のショッピングモールには17年の着任以来、見たことがなかったような人だかりができていた。ボルソナロに批判的な地元メディアですら、ブラジル経済は長いトンネルを抜けたという論調が目立つようになっていた。

もっとも、復調傾向にあったブラジル経済だが、新型コロナ禍という未曽有の事態の前に、なすすべはなかった。当初、日本や中国などアジアの病気として対岸の火事だったブラジルだが、20年3月に入ると感染者が急増。世界保健機関（WHO）が新型コロナウイルスについて「パンデミック（世界的な大流行）」と表明したことを受け、主要株価指数のボベスパは大幅下落。すべての株式売買を30分間中断する措置（サーキットブレーカー）が3日間で2回発動され、ボルソナロ就任以来の上昇は一瞬で吹っ飛んだ。通貨安と合わせて市場は「ブラジル売り」一色となった。

欧米を含め世界中が新型コロナで右往左往している中、ブラジル売りが加速したのは、感染爆発だけが理由ではない。ボルソナロの暴走による、政治の空転が背景にある。

3月24日、最大都市サンパウロを擁するサンパウロ州のドリア州知事は州全域でレストランやカフェなどの店舗営業を禁止にすると発表した。都市封鎖（ロックダウン）に踏み切った欧米の事例に倣ったものだが、ボルソナロは「彼ら（知事たち）は極端な政策をとっている」と、これを激しく批判。感染拡大が始まった局面でも支持者の集会に顔を出し、握手やセルフィー（自撮り）で会場を沸かせたほか、人が沢山いる市場に出かけるなど、感染対策を軽視する姿勢をとり続けた。どれだけ批判を集めようとも、「風邪のほうが多くの人を殺している」というスタンスを崩さなかった。

連邦政府と州政府の対立は、マネーの逆回転がはじまった金融市場で不安要素として受け止められた。また、議会では大統領が拒否権を発動した財政支出案に対し、上院・下院ともこれを賛成多数でひっくり返すなど、ボルソナロの独善的な姿勢に対する不協和音は隠しきれなかった。

ボルソナロと対立していたのは州政府や議会だけではない。ボルソナロは4月、外出自粛令を推進してきたマンデッタ保健相を解任した。医師出身のマンデッタはレストランなどの店舗営業を禁じる外出自粛令を奨励していた。「高齢者だけが外出を自粛すればよい」「我々はみないずれ死ぬ」という主張を繰り返していたボルソナロが最終的に強硬手段に出たかたちだ。

もっとも、こうした政策が民意を得ていたとはいいがたい。サンパウロやリオデジャネイロでは病院が足りず、サッカー場が野戦病院に転用された。救急車のサイレンの音を聞かない日はなかった。調査会社ダタフォリャが6日に発表した世論調査では、76%のブラジル人が「現在、最も大切なことは社会隔離政策を維持し、人々が家にいることだ」と回答。過剰な新型コロナ対策が経済に悪影響を及ぼすと主張するボルソナロだったが、最大の不安要素が自分自身になりつつあることは自覚していないようだった。

汚職スキャンダル

感染対策でつまずいたボルソナロだが、失敗はそれだけではなかった。新型コロナ禍の混乱が続く4月24日、国民的な人気を博していたモロ法務・公安相が辞任を表明し、ブラジル国内に大きな衝撃が走った。連邦地裁判事から政界に転じたモロはペトロブラスの大型汚職事件を手掛けた判事だった。PT政権時、政府からの圧力をものともせず、ラバ・ジャットへのルラの関与を暴き、有罪判決へと導いたモロは国民的な人気を誇る「スター閣僚」だ。ボルソナロが政権発足に合わせて入閣を求め、反汚職を掲げる「クリーンな内閣」の象徴としていた。

モロの辞任の要因も、国民の間の反ボルソナロ感情を刺激した。ボルソナロの長男で上院議員を務めるフラビオ・ボルソナロの汚職疑惑が浮上する中、ボルソナロが連邦警察庁の人事に介入し、モロの右腕である警察庁長官の人事に介入したことが明らかになったためだ。新たに長官に指名された人間がボルソナロ家と親交があると判明したことからも、家族の汚職疑惑に関する捜査を妨害するために権力を濫用していることは明らかだった。大統領選で歴代政権の汚職を舌鋒鋭く批判し、クリーンな政治を求める国民の声に応える形で選出されたボルソナロの露骨な姿勢は、大きな失望と怒りを呼んだ。

止まらない感染拡大や汚職スキャンダルへの対応を受け無党派層のボルソナロ離れが進む中、これまでボルソナロを支えてきた人間も露骨に距離を取りはじめた。ボルソナロの支持基盤である国軍出身のアゼベド防衛相は「新型コロナウイルスとの戦いを優先する」と表明し、コロナを軽視する政府の姿勢とは一線を画す姿勢を見せた。年金改革の実現に向け政権を支えてきたマイア下院議長も「突然の政策変更はブラジルにとって悪いことだ」と述べ、ボルソナロを公然と批判するようになった。連邦最高裁は警察庁長官の人事を差し止める仮処分を下し、連邦警察は捜査妨害などの容疑でボルソナロへの捜査を始めると明らかにした。

身内からも非難を集める中、ボルソナロは態度を改めるどころか、むしろ意固地になった。議会や最高裁の機能停止、国軍の政治介入を求める極右の集会に参加し「これ以上の交渉は求めない」と宣言するなど、憲法で定められた三権分立を大統領自ら否定するような発言を繰り返した。アゼベド防衛相は後に「軍は法と秩序、民主主義、そして自由の側にいる」とする声明を発表し、ボルソナロの姿勢を暗に批判したが、ボルソナロにこうした声が届くことは無かった。

リオデジャネイロ州立大のルシアナ・ベガ教授はボルソナロの強硬姿勢について「支持者をつなぎとめるためだ」と解説する。主要な世論調査でボルソナロの不支持率は4割を超える半面、支持率は約3割で底堅い。無党派層の支持が期待できない以上、コア支持層に訴える戦略だ。

ボルソナロのコア支持層とは、果たしてどのような人々なのか。その答えは、路上にあった。20年5月上旬の週末、サンパウロの目抜き通りにあたるパウリスタ大通りを訪れると、政権を支持する数百人の人々でごった返していた。ボルソナロの支持者の集会だ。まだワクチンが開発すらされていない時期だったにも関わらず、参加者のうち2〜3割はマスクもつけていない。

ボルソナロの過激な言動にあてられたのか、集会には政治的に際どい主張も混ざっていた。あるグループは、外出自粛策を巡りボルソナロと対立するサンパウロ州のドリア知事の顔写真が貼られたひつぎを掲げ、「ドリアに死を！」と叫んでいた。ボルソナロに批判的なテレビ局グロボの名を挙げた「グロボはゴミだ！」というスローガンも目立った。こうした主張が大衆に幅広く支持されるとはいいがたい。

私は外国メディアの記者ということもあって身の危険を感じることはなかったが、集会を取材していたメディア関係者が襲撃される事件も発生した。自身を批判するメディアを「フェイクニュース」として批判する、ボルソナロの発言に引きずられたものであることは説明するまでもないだろう。

こうしている間も、新規感染者数・死者数ともに日々数字が更新されるようになり、気がつけば米国に次ぐ世界二番目の国となっていた。自ら社会の分断を招くボルソナロと、それに扇動される人々。「ブラジル社会が壊れる」という大統領選前に危惧されていた事態は、現実のものとなりつつあった。

教育現場への打撃

ボルソナロが新型コロナ対策に消極的だったことはこれまでも繰り返し伝えてきたが、格好の「敵失」にも関わらず、野党の支持が盛り上がることはなかった。特に中道政党はボルソナロでもなく、ＰＴでもない自分たちこそが新型コロナ禍のような有事に対応できるとアピールしたが、空回りし続けた。

２０２２年の大統領選を目指すサンパウロ州のドリア州知事は反ボルソナロの旗幟を鮮明にし、ことあるごとに政府の方針に対抗。「こんな無責任な大統領はみたことがない」と主張し、ボルソナロを無視するかたちで、飲食店の営業禁止や学校の閉鎖など、厳格な経済活動の制限を行った。

もっとも、こうした施策は最初こそ支持されたものの、しばらくすると市民からの反発が目立つようになった。営業を許可されたのはスーパーマーケットなど一部の業態のみで、ほとんどの商店は営業を許可されない状況が続いた。ドリアはウーバーイーツなどのデリバリーサービスを活用するように市民に呼びかけたが、配達料や手数料で割高なサービスにすべての外食需要を代替するだけの需要があるわけもなく、路上には仕事がなく手持ち無沙汰のバイクや自転車であふれた。学校も公園も公共施設もすべて閉鎖され、街が機能を停止したようだった。

日米欧をはじめとした先進国では飲食店に手厚い補助金が支給されたことは記憶に新しいが、財政に余裕のないブラジルではない袖は振れず、ドリアも期限を示さないまま、ボルソナロへの対抗心で経済活動の制限を延期し続けた。補償もない自粛の行き着く先は、大量廃業と大量失業だ。

ブラジルの街角にはランショネッチと呼ばれる大衆食堂がそこかしこにあるが、宅配に適していない業態のため、各店とも新型コロナ禍での営業に四苦八苦していた。自宅近所のランショネッチを取材すると、「補償もないのに店を閉じろという無茶な話で、経営は限界だ」とため息交じりに話しており、しばらくするとシャッターが閉じていた。サンパウロの旧市街セントロを取材すると、教会前の広場には段ボールや簡易テントを使った路上生活者があふれており、炊き出しには数百メートルの行列ができていた。

結局、ドリアは人々の声に押されるかたちで、6月に経済活動を再開した。死者数が最多を更新し続ける時期ではあったが、これ以上の経済封鎖は経済がもたないという判断からだ。この間、科学的な議論が交わされることはほとんどなく、ただ連邦政府と州政府の政治的な対立でいたずらに時間を消費し、人命が失われていくだけだった。

国の将来の礎となる教育にも新型コロナ禍は大きな影を落とした。国連教育科学文化機関（ユネスコ）の調査によると、新型コロナウイルスにより中南米地域では平均5カ月にわたり学校が休校となったが、サンパウロでは小中学校は平均の2倍となる10カ月にわたり閉鎖され続けた。州が自宅で学べるようにタブレットを配布すると発表したのは、学校が閉鎖されてから5カ月後だった。そのタブレットが届いたのもごく一部に限られ、大半の子どもたちは放置され続けた。

学校が閉鎖され続けたのも、政治的な争いが背景にある。新型コロナ禍がはじまった20年の10月に統一地方選があり、全国の市長選や市議会選が予定されていた。サンパウロの州・市の与党であるブラジル社会民主党（PSDB）は、学校の再開が選挙の争点となることを避けるため、学校の完全閉鎖を決定。バーやレストランの営業規制が段階的に解除される中でも休校措置を続けた。

非合理的な意思決定を導いたのも、また民意だ。低所得者層の間では、祖父母と一緒に暮らす子どもも多い。「子どもが学校に行って新型コロナウイルスに感染したらどうする」という不安の声に対し、政治家たちは教育の重要性をもって説得するのではなく、「市民の声」に応える形で学校閉鎖を正当化し続けた。

新型コロナ禍の中、サンパウロ最大のファベーラ、パライゾポリスを取材すると、平日の昼間から小学生くらいの子どもたちが路上で遊んでいた。みな、両親とも仕事に行っているという。「勉強など一切やっていない」と話す子どもたちは、自分たちが政争の被害者であることすら気づいていないようだった。

10カ月の間、先進国のようなリモート授業が行われたのは財政に余裕がある私立学校など一部に限られた。ドリアをはじめ、裕福な政治家は自分の子どもたちをこうした学校に通わせているため、学校が閉じていようが痛くもかゆくもない。教育格差が広がることや子どもたちが学ぶ機会を奪われ続けることに一切関心がない政治家が目先の票のためだけに場当たり的に動くという状況は、ブラジルという国の将来の危うさを我々に知らせるには十分なものだった。

比較的裕福な家庭でも、座ってリモート授業を受けることができない年ごろの児童には教育の空白をもたらした。個人的にお世話になっていた女性の医師は「私が働き続ける間、誰も勉強を教えてくれないので娘は6歳なのにまだアルファベットを読めない」と嘆いていた。

経済活動や学校の再開からワクチンの確保に至るまで、ドリアはあらゆる場面でボルソナロに対抗心を燃やし、22年の大統領選に向けた政治的なアピールに力を注いだ。しかし、こうした露骨な行動は市民に見透かされ、支持は一切盛り上がらないままだった。新型コロナ禍が明らかにしたのは、ボルソナロの指導力の欠如だけではなく、野党の無力さも同様だった。

否定していた現金給付策で支持率アップ

ブラジル政府が新型コロナウイルスの死者数を隠蔽した、裁判所がボルソナロにマスクを着けるよう命じた、医療機器の調達を巡る汚職が明らかになった、ボルソナロがウイルスに感染した、感染発覚直後に記者団にマスクなしで話しかけ提訴された、医学的に効果がないマラリア薬を特効薬だと主張した、陰性になったとしてバイクを運転する姿を公開した――。

新型コロナ禍がブラジルに上陸して3カ月、当時の自分の記事を読み返すだけでもブラジルの混乱ぶりが浮かび上がる。

　ボルソナロの金看板である経済改革は完全に停滞していた。ゲジスが日本の消費税に相当する全国一律の付加価値税の導入について州知事らと議論をはじめたといったニュースを申し訳程度に書いたが、経済界でも実現の可能性は限りなく低いとの見立てだった。感染拡大は止まる気配がなく、私のブラジル人の知り合いの間でも親戚が感染した、知人が亡くなったという話がよく聞かれるようになっていた。

　こうした状況にも関わらず、ボルソナロの支持率は上昇した。ダタフォリャが8月に発表したボルソナロの支持率は38％で、6月の前回調査から5ポイント上昇。不支持率は34％と、10ポイント低下した。

　不自然にも見えるボルソナロの支持率上昇だが、大きく二つの理由が考えられる。一つ目は、人々の自粛疲れだ。前述した通り、サンパウロ州をはじめとした主要都市では商業施設や飲食店の営業をはじめ経済活動が大幅に制限されていたにも関わらず、新型コロナ禍は収まる気配が見えなかった。日々の収入が断たれる中、「経済活動を再開しよう」と呼びかけるボルソナロが一部では再評価されつつあった。

　もっとも、より影響が大きかったのは二つ目の理由である、現金のばらまきだ。ブラジル政府は新型コロナ対策として実施した月額600レアル（約1万2000円）の緊急支援策が人々に届き始めたのだ。相変わらず街中がシャッター街となっていたサンパウロだが、緊急支援策の支給開始を受け、国営銀行カイシャ・エコノミカの支店の前には長蛇の列ができていた。銀行口座を持っていない人々からの、どうやったら受け取れるかという問い合わせが殺到したためだ。

600レアルという金額は月額最低賃金の半分にあたる。これが毎月振り込まれるとあって、これまでボルソナロを批判していた低所得者層が掌を返して支持に回った。

左派のばらまき路線を否定して大統領選に当選した経緯もあり、ボルソナロは「財政規律と財政支出の上限は我々の向かうべき道だ」と主張し、現金給付に懐疑的な姿勢だった。しかし、支持率上昇という目に見える「成果」が出たことで、この時期を境にボルソナロは現金給付策の拡充を公に訴えるようになっていた。

ボルソナロは左派政権の置き土産である「ボルサ・ファミリア」と呼ばれる、貧困家庭向けの現金給付を「ヘンダ・ブラジル（ブラジル所得計画）」に刷新し、支給額の増額や支給対象の拡充を表明。かつて「票の買収だ」と罵っていたことなど忘れたかのように、自分の実績だとアピールするようになった。2020年12月に新型コロナ対策の現金給付策が終わったことを受け、不満の声が上がると、すかさず「支給額はまだ分からないが、3月から3〜4カ月にわたってほぼ確実に支給されるだろう」と再開を約束。経済政策を統括するゲジス経済相の反対にも関わらず、強引に支給再開を決定した。

新型コロナ禍により生活に困窮する人々が増える中、なにもしないでもらえる現金は手っ取り早く支持を集めるための最短手段であることは間違いない。しかし、こうした政策は財政赤字を拡大させ、通貨安という副作用をもたらす。新型コロナ禍がはじまったばかりならいざ知らず、科学的知見が蓄積されて経済活動と感染防止の両立が模索されつつあった中でのばらまきは集票行為でしかない。左派政権のばらまき政治からの脱却を訴えたボルソナロが新型コロナ禍を機に理念なき現金給付に傾倒していく姿は、現金さえ配れば満足する国民と、それに呼応してしまう政治家という、ブラジル政治が抱える根深い病巣を改めて示した。

再登板したルラとブラジルの存在感

現金給付で一時的に支持率が回復したボルソナロだが、その効果は長続きしなかった。新型コロナワクチンの調達をめぐり、政権で汚職疑惑が浮上したことも国民の間の反ボルソナロ感情を刺激した。ボルソナロの再選は容易ではないというのがブラジルメディアでは定説となりつつあった。こうした中、決定的な出来事が起こる。2021年3月、連邦最高裁が、ルラの司法手続きを無効とする判決を下したのだ。

ペトロブラスを舞台とした大規模な政界汚職に関与した疑いがもたれ、収賄や資金洗浄など複数の罪状で有罪判決を受けていたルラだが、一連の公判を担当していたのはボルソナロ政権に法務・公安相として入閣し、後にボルソナロの息子の汚職疑惑を巡り喧嘩別れしたモロだった。当時、地裁の判事としてルラを担当していたモロは反ルラの急先鋒として知られ、有罪判決そのものが政治的だという批判を受けていた。最高裁の判事は「法律上の権限がなかった」と指摘し、裁判のやり直しを命じた。

無罪判決ではなくあくまで裁判のやり直しではあるが、過去の有罪判決が取り消されたことで22年の大統領選へのルラの出馬が可能になった。これはつまり、大統領選の構図がボルソナロ対ルラで固まったことにほかならない。中道政党を集めて出馬をもくろんだドリア州知事も、ルラでもボルソナロでもない選択肢を掲げたモロも第三極をつくることはできず、「その他」のままで選挙戦を終えた。

こうした状況下、ボルソナロはさらなる大盤振る舞いに動いた。ガソリン価格が上昇するとペトロブラスの総裁や鉱業・エネルギー相を更迭し、燃料税を引き下げると表明。ロシアのウクライナ侵攻に端を発したインフレに対しては低所得者向けの現金給付として260億レアル（約6600億円）規模の給付金を発表。ルラの支持層である貧困層を引っぺがすため、なりふり構わぬばらまき策を連発した。こうした作戦も奏功し、一時はダブルスコアをつけられていたルラとの支持率の差は大幅に縮小した。

もっとも、新型コロナウイルスを受けた混乱で統治能力のなさを露わにしたボルソナロは無党派層の支持の取り付けに苦労した。18年の大統領選でボルソナロが広く支持されたのは、反汚職や経済再生といった公約が左派や伝統政党を支持する人々に刺さったためだ。新型コロナウイルスという逆風があったとはいえ、その後の化けの皮がはがれたボルソナロを積極的に支持しようとする動きは見られなかった。財政規律を無視した無軌道なばらまきにより接戦にまで持ち込んだボルソナロだが、最後はルラの前に破れることとなった。

ボルソナロ政権が残した傷跡は深い。ボルソナロは大統領選の敗北を公式に認めず、ルラの就任式も欠席した。その間、支持者はボルソナロの敗北は不正選挙によるものだという陰謀論を増幅させ、ＳＮＳで「抵抗」を呼びかけ続けた。

そして大統領選の決選投票から70日後の23年1月8日、恐れていた事態が起こる。首都ブラジリアに集結したボルソナロの支持者が議会や大統領府、最高裁を襲撃したのだ。サッカーブラジル代表のユニフォームやブラジル国旗に身を包んだ人々が窓ガラスを割りながら「正義」を主張する様子はブラジル社会の抱える病巣を露わにした。幸い、軍が同調することはなく「テロリスト」として鎮圧されたものの、１５００人以上が拘束された。米国に滞在していたボルソナロは「法に則った平和的なデモは民主主義の一部だが、本日起きたような建物への侵入や抑圧はルールを逸脱している」という声明を発表したものの、こうした事態を引き起こすまでに至った自身の振る舞いへの反省は皆無だった。

暴言と愚行で世界中のメディアに悪名をとどろかせたボルソナロを退場させることに成功したルラだが、就任早々、社会の分断という難題と向き合う厳しい船出となった。その顔から、はじめて大統領に就任した20年前のような高揚感はうかがうことはできない。過去の汚職疑惑に対する国民の視線は厳しく、大統領の職務をこなす上で77歳という年齢は決して若くない。なにより、ブラジルという国自身が老いつつあることは、今後、政権を運営していく上で大きな壁となる。

新興国としてのイメージが強いブラジルだが、生産人口の流入が続く人口ボーナス期は既にピークを越えており、2030年代には生産年齢人口の減少局面を迎える。新型コロナ禍が始まる前の19年の時点で合計特殊出生率は1・72と、既に先進国並みだ。1950年代まで合計特殊出生率が6を記録していたブラジルだが、右肩下がりで減少が続いており、人口学者の間では「欧州諸国が100年かけて経験した下落を30年で再現している」とされる。

ブラジルで大学を卒業し、28歳で司法試験を受験中のマルシア・ダ・コスタは4人姉妹の一人だが、「子どもを育てるための金銭的な余裕も情熱も持っていない」として、子どもをつくる予定はないと断言する。女性の社会進出が進む一方、保育園などの社会インフラは未整備のまま。教育費の負担を恐れて子どもを産まないという議論は、我々が日本で経験しているものとまったく変わらない。

2億人を超える消費市場は企業にとって今後も魅力的であり続けるものの、それにあぐらをかいて人材育成や産業の高度化、構造改革などの改革を怠ってきたツケは既に表面化しつつある。ソニーは20年、米フォード・モーターは21年にブラジル生産からの撤退を発表した。ブラジルに進出する日系企業は「本社から新規投資のGOサインがでない」と嘆く。BRICSブームに沸いた00年代のように、外資系企業が列をなして投資するという状況ではない。

「双子の赤字」は慢性化（GDP比、%）

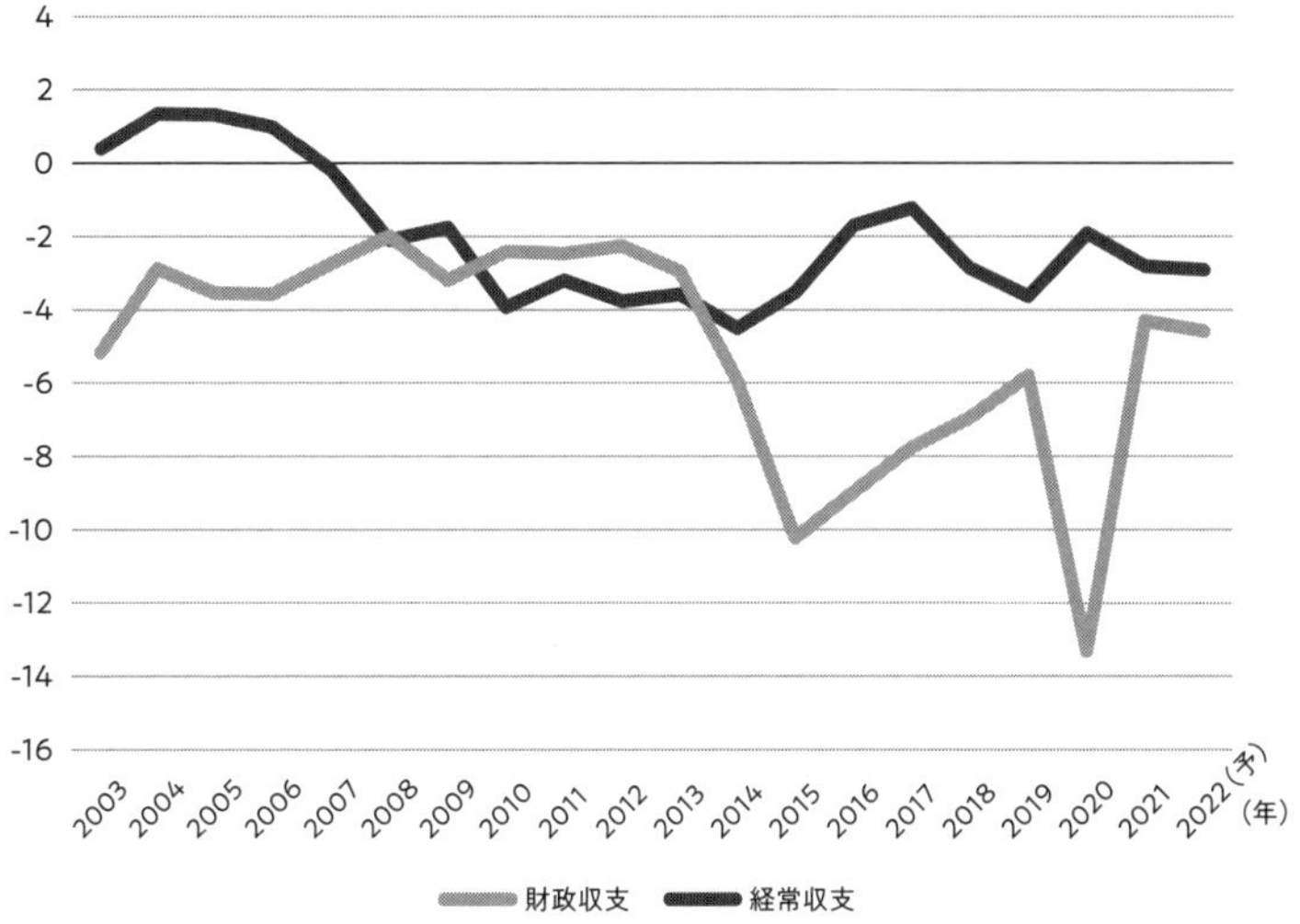

出所）IMF

ブラジルという市場の魅力そのものが損なわれつつある中、金融市場もかつてのような寛容な態度ではなくなっている。政府債務が膨張する中、何か問題が起こるたびに通貨や国債が売られる状況が繰り返されているのは既に指摘したとおり。財政赤字と経常赤字の「双子の赤字」は慢性化しており、今後のブラジル経済のリスクであり続ける。

大統領選でボルソナロに対抗するため、民営化の中止や現金給付の拡大など反市場的な公約を掲げていたルラに対する金融市場の視線は冷たい。財政問題を無視してかつてのような大盤振る舞いを強引に進めた場合、通貨安や国債の金利上昇といった反応は実体経済に悪影響を及ぼしかねない。

ブラジルが誇る天然資源や広大な農地が持つポテンシャルは疑いようもない。鉄鉱石や穀物、食肉などの1次産品は世界的にも高い競争力を有しており、ロシアによるウクライナ侵攻で揺れるエネルギー市場でもブラジル深海油田産の原油の重要性は増している。IT産業でも世界中から投資マネーを取り込み、ブラジル発のユニコーン企業が多数誕生している。世界経済に占めるGDPの数字以上に、ブラジルの存在感は大きい。

問題は政治であり、社会であり、それを構成する人々にある。大きすぎる格差、政財界の汚職体質、悪化する治安——課題そのものは何十年も前から問われ続けているが、根本的な解決には至らなかった。先送りが続いてきた諸問題を解決すると大見得を切って登場したボルソナロが政治的な分断という負の置き土産とともに退場を余儀なくされた今、再登板したルラの双肩にかかる責任は大きい。

日本に住んでいるとおどろおどろしいニュースや映像ばかり飛び込んでくるブラジルだが、実際に住んでみるとこれほど素晴らしい国はない。人々は子どもたちに優しく、多様性に満ちており、駐在経験者は口をそろえてブラジル時代を人生最良の思い出として懐かしむ。カーニバルの時期になればサンバのリズムが街角に鳴り響き、週末のサッカーの試合のたびに街中が歓声に包まれる、愛すべき人々が暮らすブラジル。希望と混沌を詰め込んだ大国の進路は、地球の反対側で暮らす我々にとっても無関係ではいられない。

第4章

チリ、コロンビア、ペルー、ボリビア
格差が招く終わりなき混乱

CHILE/COLOMBIA/PERU/BOLIVIA

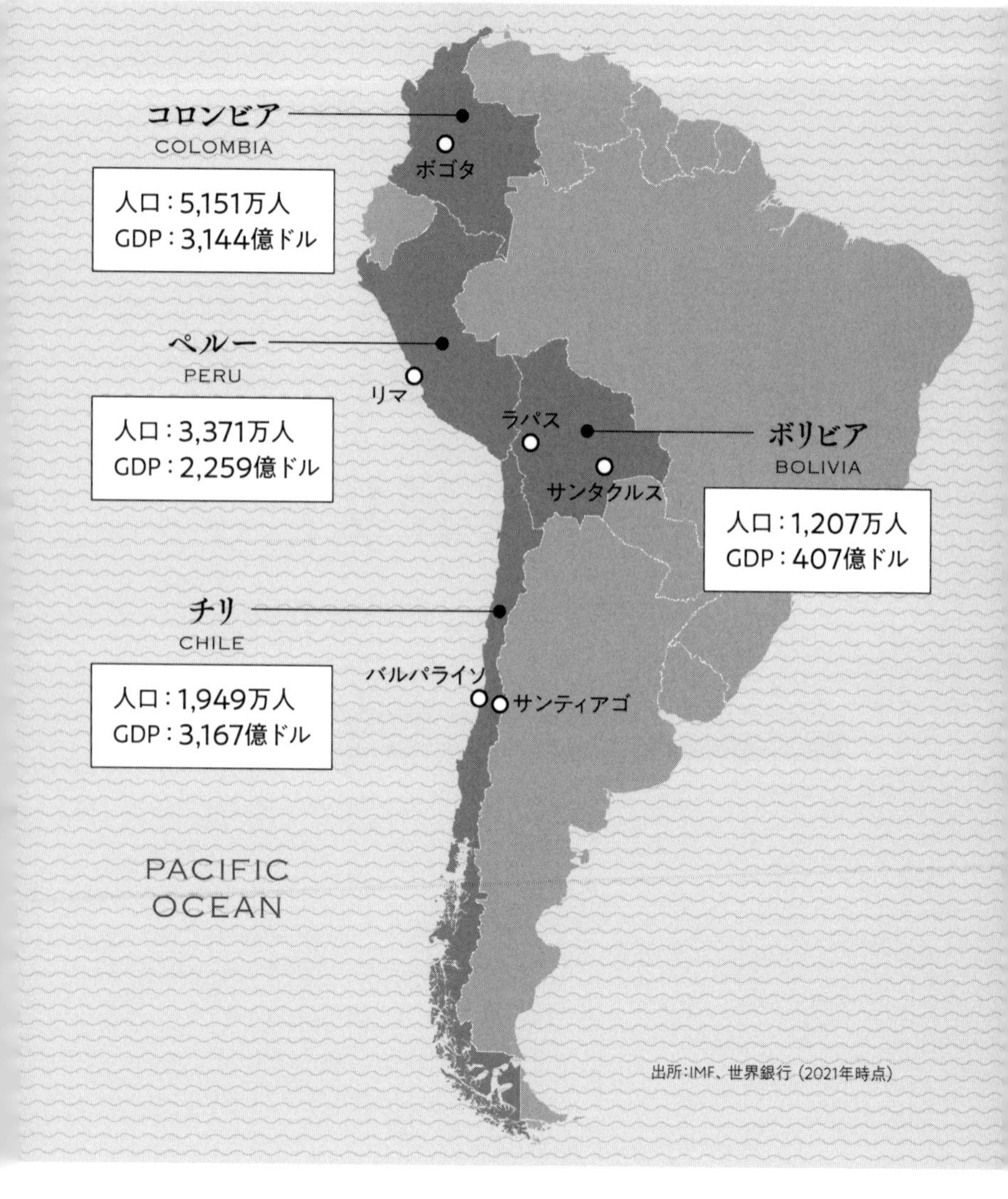
コロンビア
COLOMBIA
ボゴタ
人口：5,151万人
GDP：3,144億ドル
ペルー
PERU
リマ
人口：3,371万人
GDP：2,259億ドル
ラパス
ボリビア
BOLIVIA
サンタクルス
人口：1,207万人
GDP：407億ドル
チリ
CHILE
バルパライソ
サンティアゴ
人口：1,949万人
GDP：3,167億ドル
PACIFIC
OCEAN
出所：IMF、世界銀行（2021年時点）

「医者を呼んでくれ！」。催涙ガスの煙で視界が遮られる中、悲痛な叫び声が周囲に響く。煙が晴れると、道に倒れて頭から血を流す若い女性と、それを取り囲む人だかり。政府への抗議活動に参加していた学生が警官隊に投石したところ、「流れ弾」がデモ参加者に当たったらしい。「頭を動かすな！」「誰か包帯を持っていないか？」と怒号が飛び交う中、遠くでサイレンの音が鳴り響く。デモ隊が路上に築き上げたバリケードが自動車の侵入を防いでいるのか、なかなか現場までたどり着かない。そうこうしている間にも、路上の血だまりは次第に大きくなっていく。周辺の建物の窓ガラスは割れ、道路では火炎瓶の残骸が燻っていた。「南米の優等生」と呼ばれたチリの混沌は、南米大陸における平穏が綱渡りであることを改めて示していた。

チリ西部バルパライソ。首都サンティアゴから約120キロメートルの位置にある港湾都市は同国の国会議事堂を擁し、色鮮やかな街並みは世界遺産として登録されている。政治の中心でありチリ有数の観光地でもあるバルパライソだが、2019年12月、私が訪れた街の中心部では連日のように抗議活動と治安当局の衝突が発生し、「内戦状態」の様相を呈していた。市中心部の広場の周囲の道路には昼間からバリケードが築かれ、路上ではたき火が燃え盛る。抗議活動の参加者はヘルメットやガスマスクで身を固め、ハンマーを振るって道路の縁石を破壊する様子もあちこちで見られた。鎮圧のために出動する装甲車や警官隊に対して投げつける石を確保するためだ。暴力行為に対するためらいは、微塵も感じることができ

治安当局と衝突する暴徒化した市民（バルパライソ）

なかった。

　さかのぼること約1カ月半。チリの混乱が世界に向けて発信されたのは、同年11月に予定されていた、アジア太平洋経済協力会議（APEC）首脳会議の中止だった。開催国として準備を進めてきたチリだったが、大規模な反政府デモが発生したことで治安が悪化。世界から首脳を受け入れられる状態ではないと判断したピニェラ大統領は「チリは深い痛みの中にある」と国民に向けて演説し、会議の中止を発表した。米国や中国、ロシアなど環太平洋の大国が並んで参加するAPECはG7やG20に並ぶ重要な国際会議だ。トランプ米大統領と習近平中国国家主席の首脳会談が調整されていたこともあり、その舞台となるAPECの中止は世界中で驚きをもって報じられた。

暴徒が路上にあふれ、道路に積み上げられたバリケードが燃やされている当時のチリの写真や映像を見た人も多いだろう。多くの日本人にとって衝撃的な光景だっただろうが、我々南米に住む人間にとって、その衝撃はさらに大きい。チリは経済が発展しており、サンティアゴの中心部は南米では数少ない、夜に一人で出歩けるほど治安が良い街だ。ドイツ系の移民が多いという歴史もあり、多くの国民は規律を守り、礼儀正しい。「南米で車を運転しているとき、警察官から賄賂を要求されないのはチリだけだ」というブラックジョークもあるほどで、南米の他の国ならいざ知らず、チリで暴動や略奪が起きるというのは信じがたいできごとだった。

大規模な抗議活動の発端は公共交通機関の運賃引き上げに対する学生の抗議活動だった。この時点で、暴動まで発展することを予想した人は少ない。私も学生達が抗議の意を示すために地下鉄の改札を乗り越える動画をツイッターで見たが、南米ではよくあることとして、正直、気にも止めなかった。しかし、その動画が拡散されると、呼応するように市民が路上に出るようになり、そして一部が過激化。若者たちの手には石や火炎瓶が握られ、対する警官隊は催涙弾で応じるようになった。

「私たちはずっと平和的なデモで政府に抗議してきたが、なにも変わらなかった」。バルパライソでデモに参加していた、イバンナと名乗る25歳の大学生の女性は抗議活動が過激化した背景をこう説明する。チリでは過去にも大学の学費無償化を求める大規模なデモがたびたび発生していたが、どれも満足のいく成果を得ることができなかった。「声を上げても変わらないなら、社会闘争で勝ち取るしかない」。まるで日本の全共闘運動のような勇ましい声は、現場で声を聞いた多くの参加者に共通している。

過激な抗議活動は大学生など若年層が中心だが、中年層も混じっていた。建設業界で働く57歳のカルロス・オリバリスは「朝から晩まで働いても自動車すら買えない。政治家と金持ちだけが私腹を肥やすだけの社会は変える必要がある」と力説する。

政府もただ催涙ガスを撃ち込み、放水車を出動させただけではない。ピニェラ政権は抗議活動を受け、最低賃金や年金の増額、公共料金の値上げ凍結などを表明。デモの参加者が求める、憲法改正のための国民投票の実施も決定した。それでも、一向に抗議活動が収まる気配はなく、全国各地で暴動は続いていた。

ゴールポストが動く中、政府は対応に苦慮しているように見えた。どうすれば振り上げた拳を下ろすのかをイバンナに尋ねてみたが、少し考えた後、「我々は長年積み重なった不条理な社会を正そうと動いており、現時点で条件はない」という答えが返ってきた。当初の抗議の目的は霧散《むさん》し、参加者はいつしか社会の不条理に対する怒りを破壊活動で紛らわせるようになっていた。美しかった街は無残な状況となり、政府と無関係の自動車や建物が燃やされるなど、無法地帯が各所に広がっていた。

抗議活動は南米有数の都市であるチリの首都サンティアゴの風景も一変させた。デモ隊の

抗議活動で破壊されたバス停（サンティアゴ）

集合地点となっていたイタリア広場周辺のバス停はすべて破壊されており、商店は略奪を恐れ、シャッターの上からベニヤ板を張っていた。包括的・先進的環太平洋経済連携協定（CPTPP）の署名式にも使われた、チリを代表するホテルであるクラウンプラザホテルは暴徒の襲撃で閉鎖されており、落書きだらけの廃虚のような状態となっていた。誰が見ても明らかにやり過ぎだったが、SNSでつながった人々は明確なリーダーを持たず、それが故に抗議活動を止める術もない。美しい街は統制を失った暴徒により破壊され、蹂躙《じゅうりん》され続けた。

チリ、軍部による圧政と経済の飛躍的成長

なぜ、チリが不安定な南米大陸の中で異例

とも言える発展を遂げたのか、そしてなぜ、行き詰まったのか。鍵を握るのが、今からさかのぼること約半世紀前、1973年のチリ・クーデターだ。当時、チリでは選挙により社会主義的な政策を掲げる左派のアジェンデ政権が誕生し、企業や銅鉱山の国有化などが進められていた。折しも、当時は東西冷戦まっただ中。社会主義政権の誕生を快く思わない米国のニクソン政権は米中央情報局（CIA）を通じ、秘密裏に軍部を支援してクーデターをけしかけた。地域の超大国である米国という後ろ盾を得たピノチェト将軍は、民主的に選ばれたアジェンデ政権を武力で転覆させた。

ピノチェトといえば、軍事独裁政権の負の側面は世界の歴史の1ページに刻まれている。軍政は苛烈な弾圧で知られ、クーデター直後にアジェンデ政権の有力者は次々と逮捕され、強制収容所に集められた。軍部に従わぬ人々は拷問を受けた。軍政下の暴力で、累計40000人以上が被害を受けたとされる。中南米を代表する作家であるガルシア・マルケスが記した『戒厳令下チリ潜入記』では、映画監督ミゲル・リティンが戒厳令のチリに潜入した時の、軍政下の生活の息苦しさを描いている。歴史上拭いがたいチリの暗部であり、現在も暗い影を落としている。

一方、ピノチェトが経済面でなし遂げた功績もまた、歴史の1ページに残っている。ピノチェトはアジェンデ政権時代の失政により年率500％を超えたインフレを克服すべく、大胆な経済改革を推進した。新自由主義の旗手ともされる経済学者ミルトン・フリードマンの

中南米におけるチリ経済の存在感は高まっていた

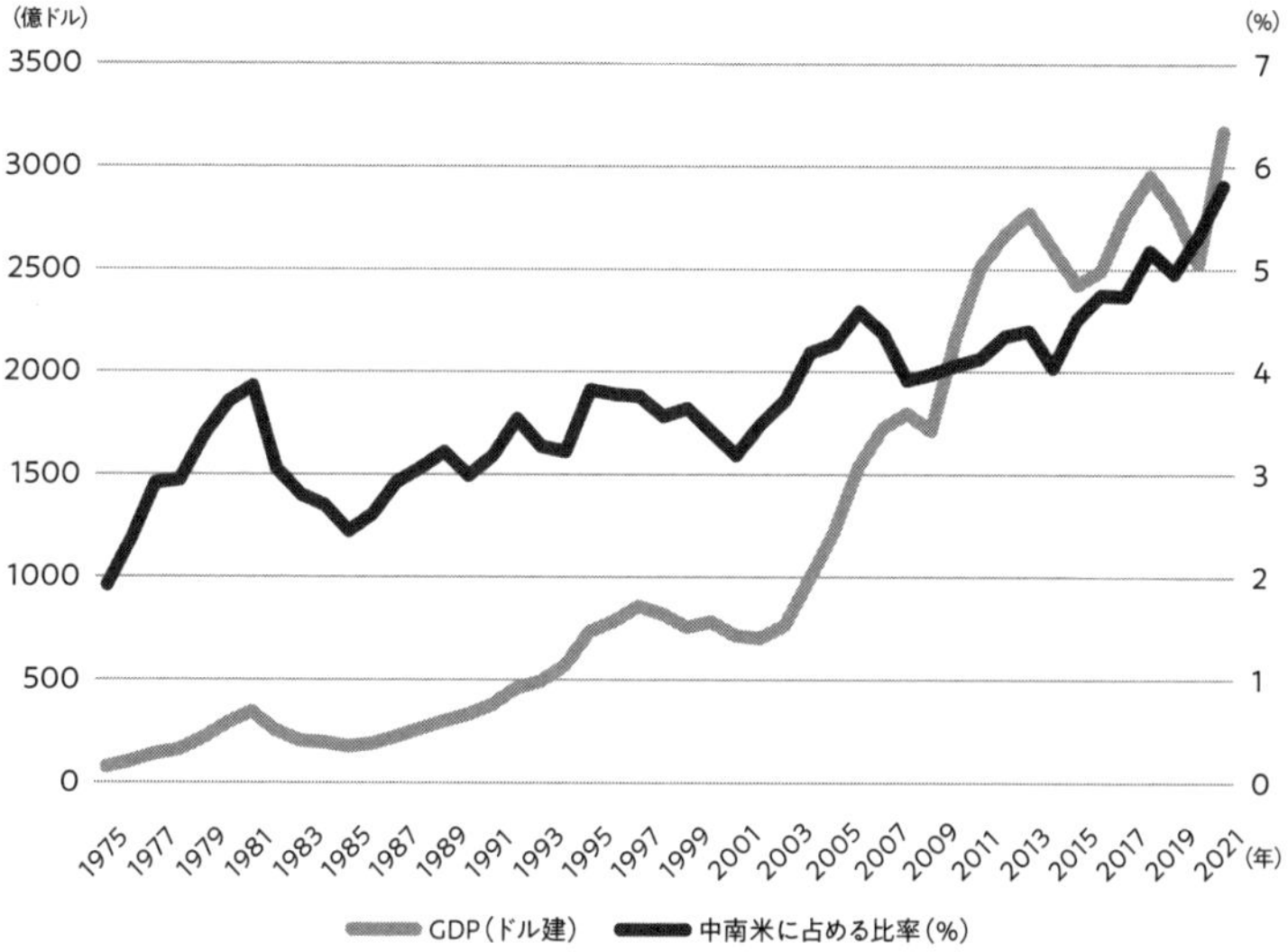

出所）世界銀行

薫陶《くんとう》を受けた米国出身の経済学者を重用し、外資の導入による資本の自由化や国営企業の民営化、財政健全化といった新自由主義的な経済政策を導入した。フリードマンやその薫陶を受けた弟子たちは「シカゴ・ボーイズ」と呼ばれ、経済学者主導の改革は民主的な国家では不可能な急進的なものも含まれていた。チリはいわば経済学者の実験場となった。

軍政への移行の混乱で一時は混乱した経済はやがてダイナミズムを取り戻し、インフレを克服したチリ経済はその後、目覚ましい発展を遂げた。16年半にわたる軍政の下、経済の浮き沈みはあったも

の の、大局的には経済成長により貧困率は減少し、チリは南米でも有数の豊かな国となった。今や日本でも定着しつつある確定拠出型の年金制度も、モデルのひとつとなったのはチリの個人勘定型の年金だ。こうした光景を英エコノミストは「チリの奇跡」と称賛した。ピノチェト就任直後、中南米におけるチリのＧＤＰが占める比率はわずか１・９％だったが、２０２１年の時点で５・８％となっている。

チリの経済自由化路線は、太平洋を隔てた日本とのつながりを見ても一目瞭然だ。最大の輸出品目である銅の鉱山には住友金属鉱山や三菱商事、三井物産をはじめ多くの日本企業が権益を保有しており、日本のチリからのワインの輸入量はフランスを超えて国別で最大となったこともある。南部ではマルハニチロがサケやマスの養殖事業に取り組み、銅鉱山がある北部ではトヨタのピックアップトラックが土ぼこりをあげて走行する。鉱山ではコマツの巨大ダンプトラックが24時間体制で稼働する姿を目のあたりにする。丸紅が水道事業を運営するなど、現地のインフラにも日本の資本が入り込んでいる。外国資本の投資を受け入れ、世界中に張り巡らせた自由貿易網を通じて自国製品を輸出するという国家戦略はチリの根幹に据え付けられていた。

自由貿易を推進し、海外企業の投資を呼び込むチリ政府の姿勢は、保護主義に傾きがちな中南米にあって極めて珍しい。太平洋とアンデス山脈に挟まれた南北に細長い地形のうち、北部は荒涼とした砂漠地帯、南部は寂寥とした極寒の地ということで人が住める土地は少なく、人口は2000万人に満たない。ブラジルやアルゼンチンのような大規模な製造業や広大な土地を必要とする農畜産業が育たない条件下、やむを得なかったものであるといえよう。

ブラジルやアルゼンチンのような恵まれた条件はなくとも、政治的に安定しているという点は世界中の企業や投資家にとって魅力的であり続けた。06年に中道左派のバチェレ政権が誕生すると、10年から中道右派のピニェラ政権、14年からバチェレ政権2期目、18年からピニェラ政権2期目と中道左派と中道右派がめまぐるしく政権交代したにも関わらず、経済政策が大きく変わらなかったことは民主主義と経済成長を両立する中南米のお手本とまで言われた。

チリは小国に甘んじることなく、世界で存在感を発揮することにも腐心した。11年にペルーやコロンビア、メキシコとともに設立した経済共同体「太平洋同盟」は域内での関税の撤廃や人の移動の自由を実現し、貿易自由化や分業は新興国の経済統合のモデルとなった。トランプ米政権の誕生で漂流しかけたTPPを米国抜きのTPP11（CPTPP）としてまとめたのも、チリの功績抜きには語れない。1人当たりGDPや治安の良さ、ビジネス環境ランキングなど、あらゆる指標でチリは中南米でトップクラスを誇り、それゆえ、「南米の優等生」と呼ばれた。

18年3月、CPTPPの署名式のために日本からチリを訪れた同僚にサンティアゴを案内したとき、「チリがこんなに栄えているとは思わなかった」「南米のイメージと全然違う」と褒められた。普段はブラジルに住んで出張で来ただけの私まで、何故か誇らしく感じたものだ。ちなみにブラジルのボルソナロ政権で経済政策を指揮したゲジス経済相も、かつてシカゴ・ボーイズの一人としてチリの経済改革を支えた人間だ。南米に住む人間にとって、経済が成長すればチリのようになれるというのはある種の希望であり、チリは理想の国だった。

しかし、チリを統治する政治家も、進出する企業も、我々記者も重要なことを見落としていた。「理想郷」であるはずのチリで暮らす人々は経済成長の恩恵を実感できなくなってひさしく、格差の固定化は人々から希望を奪っていった。長年かけて蓄積された鬱憤は、既に暴発寸前となっていた。学生達のデモはきっかけにすぎず、全土に広がる暴動の起爆剤でしかなかった。

高成長の裏側で格差が固定化

チリの高成長について、おさらいしよう。ピノチェト政権が誕生した1973年の時点で1640ドルだったチリの1人当たりGDPは民政移管の時点で2500ドルと1・5倍に成長。その後は銅価格の高騰などもあり右肩上がりで上昇を続け、2018年には1万6000ドル近くまで増加した。南米ではトップクラスの水準で、サンティアゴの街中には高層ビルが立ち並び、長期休暇のたびに海外旅行を楽しむ豊かなチリ人が数多く誕生した。

高等教育を受けた人間も多く、ビジネスの場の取材では私のたどたどしいスペイン語に気を遣って英語で大丈夫、と流暢な英語で話してくれる人も多かった。ベネズエラやハイチなど、地域の貧困国から豊かな生活を夢見てチリに渡る人も多く、我々日本人から見ても「先進国」だった。

しかし、こうした繁栄はあくまで上澄みのものだ。貧富の格差を示すジニ係数（1に近いほど不平等）は15年に0・44を記録した後、改善が見られなくなっていた。社会不安の警戒水域といわれる0・4を大きく上回っており、チャドやレソト、ブルキナファソなどアフリカの最貧国と同レベルだ。

持てる者と持たざる者の格差。それは南米大陸に住む人々であれば誰もが目にする光景だが、先進国入りを果たしつつある国ではその絶望はより重く、深い。サンティアゴの街中では流暢な英語で外国人と交流するビジネスマンがスターバックスのカップを片手に闊歩する中、低所得者層はハイチ人やベネズエラ人などの移民とともに、サービス産業で富裕層を支える側に回らざるを得なくなっていた。

南米の他の国と同様、サンティアゴの郊外には、カンパメントスと呼ばれるスラムが広がっている。18年、チリ政府は水や電気など基本的なインフラが整備されていないスラムが822カ所あり、7年間で78％増えたと明らかにした。移民の流入に加え、家賃の高騰で住宅に住めない人が郊外に押し出されたという構図だ。

問題は所得格差だけではない。教育分野でも軍政下で新自由主義的な発想が採用され、教師は公務員ではなくなり、公立校と私立校に生徒一人当たり同額の助成金を交付するバウチャー方式が導入された。教育の場に競争原理を持ち込む発想は成績の底上げに貢献したが、富裕層の子弟はエリートが通う私立校に、中間層は新設された私立校に、低所得層は公立校にという具合に、結果として所得階層によって通う学校が固定化された。教育による階層移動が難しくなると、低所得層の子どもは生まれた瞬間に低所得層としての一生が決まる。

抗議活動に参加していた若者達の多くは、こうした社会に行きづまりを感じていた。実際に抗議活動の現場に身を投じて分かったのが、投石や略奪、放火などの乱暴を働くのは参加者の中でもごく一部ということだ。しかし、参加者のほとんどが暴力的な行動に喝采を送っていたこともまた事実。連日のように抗議活動が続く中、感覚が麻痺し、破壊行為に抵抗がなくなる人もいたようだ。

彼らの言葉を借りるならば、敵は政府だけではなく、いきすぎたグローバリゼーションであり、強欲な資本主義だった。壮大な目標ではあるが、警察官に石を投げ、何の関係もない商店やバス停を破壊することがどう関係あるのかという質問をデモ参加者数十人に投げかけたが、納得のいくような回答は返ってこなかった。鬱屈した生活を送る中、大きな仮想敵を作り上げることで社会を変えるという高揚感。それが彼らの暴力を正当化しているということだけは伝わってきた。

もっとも、一連の抗議活動で最も打撃を受けたのはサービス業で働く、罪のない人々だ。

APECの開催中止と暴動の動画が世界中に配信されたことで、外国人観光客は相次ぎチリ行きの航空券やホテルをキャンセルした。19年12月、パラシオス経済・振興・観光相は南米の夏の観光シーズンである19年12月～20年2月のホテルの予約率は30％と、例年の半分以下に落ち込んだと明かした。消費も低調で、景気指標のひとつである経済活動指数は08年の金融危機以来、最大の下落幅を記録した。通貨ペソも売られ、過去最安値を更新。皮肉なことに、格差是正を訴えた抗議活動が格差を拡大させた構図だ。景気低迷を受け、人々の怒りは政府に向かい、さらに抗議活動を先鋭化させた。

新型コロナで抗議活動が収束、急進左派政権誕生

落としどころが見つからず、永遠に続きそうな暴力の衝動を止めたのは政府の治世や市民の理性ではなく、未知の疫病だった。2020年3月に入り新型コロナウイルスがチリに到達すると、瞬く間に国中を席巻。感染を恐れる人々が家にこもるようになるのと、抗議活動が収束するのはほぼ同時だった。人々の関心は新型コロナウイルス一色となり、チリからは暴動のニュースの代わりに最新の感染状況を巡る報道が届くようになった。そこでは南米のほかの国と同様、低所得者が住む地域で感染爆発が起き、食糧不足が問題となり、そして保健相が辞任した。その間、死者の数は増え続けた。

しかし、新型コロナで世界が混乱する中でも、他国に先駆けて秩序を取り戻したのはチリ

の底力だと言うほかない。初期段階の時点で、政府は感染状況から地区ごとに細かく外出制限を行い病床数をコントロールしながら、人々は公共の場でのマスク着用を徹底して重症者や死者数を抑え込んだ。ピニェラ政権は世界中に開かれた外交ルートをフル活用し、欧米だけでなく中国、ロシアなどからもワクチンを調達した。

世界最速のペースで国民へのワクチン接種を進めたことも、新型コロナ禍で揺れる世界の中では出色だった。先進国のようにファイザーやモデルナを十分に確保できない中、国民への説得を通じて中国やロシア製ワクチンへの忌避感を薄めたのはピニェラ大統領の政治手腕や国民の科学リテラシーの証しであり、サッカースタジアムを使った大量接種のノウハウは世界中のモデルにもなった。

米ブルームバーグは21年12月、社会的・経済的混乱を最小限に抑えながらウイルスに最も効果的に対処している国や地域のランキングで、チリが首位に立ったと発表した。20年にマイナス6・2%だった経済成長率は21年には11・7%と大幅なプラスとなり、世界でもいち早く新型コロナ禍を克服した国となった。沢山の人間が死に、経済が大きく傷んだ南米の周辺国を尻目に、「優等生」としての面目躍如となった。

しかし、暴動を機に国民の間に芽生えた既存政治への不信感は拭いがたく、人々は安定よりも変化を求めた。20年10月に実施された新憲法制定の賛否を問う国民投票は、賛成多数で新憲法制定に向けた手続きに入ると表明した。ピニェラ大統領は「民主主義を愛するすべてのチリ人の勝利だ」と口では選挙結果を歓迎したが、内容は明らかに政府への不信任だった。翌21年5月に実施された、憲法の草案をつくる議員を選ぶ制憲議会選では、ピニェラ大統領が率いる与党連合の獲得議席は伸び悩み、社会格差の是正を求める左派系候補が数多く当選。政治経験がない市民活動家なども選出された。歴代政権が進めてきた中道左派と中道右派の穏健な政権交代や、親ビジネス路線そのものにノーが突きつけられたかたちだ。

変化を求めるチリ国民の行動は、21年11月の総選挙でも続いた。議会選では中道右派の政党連合がかろうじて最多議席を確保したものの、下院では議席を大幅に減らした。中道左派連合も議席減となり、代わりに躍進したのが急進左派連合だった。そして大統領選で決選投票に残ったのは、元学生運動家で自由貿易を否定する急進左派のガブリエル・ボリッチと、過激な言動で「チリのボルソナロ」と呼ばれる極右のホセ・アントニオ・カストの二人だった。

穏健な中道が国を統治し、海外からの投資を呼び込みながら貿易を増やすことで経済を成長させるというチリの経済政策の根幹が崩れていることは明らかだった。結局、12月の決選投票では低所得者層からの支持を集めたボリッチが当選した。「チリの不平等の代償を貧しい人々に払わせ続けることはできない」と演説するボリッチを、群衆は石や火焔瓶ではなく、大きな歓声と拍手で歓迎した。人々は、軍政から続く不平等の連鎖を断ち切る役目を、35歳の政治家に託した。

もっとも、本稿を執筆している23年5月の段階で、ボリッチ新政権は多くの国民が期待するような結果を出せているとはいいがたい。発足当初に50％あった支持率は緩やかに下落を続け、20％台に。不支持率は20％から70％まで上昇した。世界的な物価上昇で市民生活が苦しくなったという不運に加え、既存の秩序を否定する期待と権力を持ったことによって生じる責任感の狭間で、ボリッチは板挟みになった。

政治の素人が多く入り込んだ制憲議会では、経済活動に悪影響を及ぼしかねない、現実離れした法案も新憲法案として数多く盛り込まれた。先住民系の住民が保有する土地と資源の保護や環境対策として鉱業活動を制限するほか、公的機関の役職の50％以上を女性が占めるといった急進的な政策は、理性的な国民からの理解を得ることができなかった。22年9月に行われた住民投票では62％の国民が新憲法案に反対。「市民社会とともに新たな憲法制定プロセスを推進していく」と発言したボリッチだが、既存の政治体制を否定しながらも急進的な改革は拒否するという民意を掴みきれていない。

焦るボリッチは23年4月、リチウム産業の国有化を突如表明。ＥＶの普及でリチウムの需要拡大が見込まれる中、国の関与で産業を一気に発展させる狙いだが、官から民への流れを逆流させるかのような取り組みには危うさも残る。

南米大陸にありながら、資源に溺れることなく民主主義と経済成長を両立させたチリのこれまでの歩みは歴史に燦然と輝く。一方、経済成長を実現していく中、格差是正を怠ったことが現在に至る混迷と迷走を生み出していることも事実。急進左派政権の下で起こっている混乱も、長い目で見れば、民主主義のコストだと言えよう。

ボリッチ政権で「生みの苦しみ」を味わったチリ国民が今後、再び伝統的な政党による統治に回帰するのか、それとも新たな道を目指すのかは分からない。傷だらけになりながらも前進を続けるかつての優等生、チリの成功や失敗から世界が学ぶことは今後も多そうだ。

コロンビアでも増税に対する抗議活動が

南米の優等生と呼ばれたチリで暴動が発生した約1年半後の2021年4月、南米第3の大国コロンビアでも大規模な抗議活動が発生した。一部が暴徒化し、火炎瓶で警官隊と対峙する様子は、かつてチリで見た光景をリピート再生しているかのようだった。

多くの日本人にとって、コロンビアのイメージといえば麻薬や内戦といった暗いイメージで、人によってはサッカーやコーヒーが連想される程度だろう。一時は大統領を超える権力を持ったとも言われる「麻薬王」パブロ・エスコバルや彼が率いたメデジン・カルテル、約半世紀続いた政府軍とコロンビア革命軍（ＦＡＲＣ）との内戦、サッカー代表選手の射殺事件など、刺激的な話題には事欠かない国ではある。

しかし、こうしたイメージとは裏腹に、近年のコロンビアは拍子抜けするほど穏やかで、特にボゴタやメデジンなどの都市は南米でも有数の発展ぶりだ。私の駐在中、これらの街で

コロンビアのドゥケ大統領（ボゴタ）

は日中であれば日本人が一人で外を出歩いても問題ない程度には治安も回復していた。政治的にも親米政権の下で安定しており、石油などの天然資源も発見され、経済も順調に発展。人口も5000万人を突破したとあって、欧米企業の投資先としてよく名前が挙がる国にまでなっていた。

しかし、チリで人々が「蜂起」し、最低賃金の引き上げなどの成果を勝ち取ったのを見たコロンビアの人々は、その後を追った。折しも新型コロナ対策で財政が悪化する中、右派政府は日本の消費税にあたる付加価値税や所得税の対象拡大を提案していた。新型コロナ禍まっただ中で生活が苦しい中での増税に、市民の怒りが爆発した。街頭での抗議活動は一部が暴徒化し、投石などで警官隊の負傷が多発した。

ドゥケ大統領は「税還付で弱い立場の家庭の収入を増やす」と述べ、一連の税制改革はただの増税ではなく格差の是正につながるとして理解を求めたが、こうなると所得税の増税対象になった中間層が立ち上がるといった具合に、抗議の輪はどんどん広がっていった。ドゥケ政権は結局、増税案を撤回し、カラスキジャ財務相が辞任を表明した。

政府が譲歩したにも関わらず、抗議活動が続いたのはチリと同様だ。ひとつだけ違うことがあるとすれば、民政移管後に平和が続いたチリと異なり、左翼ゲリラとの闘争で鍛えられたコロンビアの治安当局はデモを鎮圧するために過剰な暴力を用いることをためらわなかったことだ。一部の警官が逃げ惑うデモ隊の参加者に向けて発砲したり、無抵抗の市民に催涙ガスを浴びせたりする動画がSNSで拡散されたこともあり、いつしかデモは治安当局対市民という構図に変容した。

ドゥケ政権を支えてきたブルム外相は5月、突如辞任を表明。「コロンビアの外交政策において、民主主義や法律、公平性、企業家精神などの原則と価値を促進し、守るために献身的に働いてきた」として、暗に政権を批判した。国連人権高等弁務官事務所は12月、一連のデモで46人の死亡を確認したと発表。44人が民間人で、対する警察官はたった2人だった。半世紀にわたる内戦から徐々に明るさを取り戻していたコロンビアの、暗い一面が顔をのぞかせた。

元ゲリラ兵士の大統領が誕生したコロンビア

左翼ゲリラFARCとの内戦により22万人以上が死亡したという血塗られた歴史を持つコロンビアでは伝統的に左派の人気が低く、ベネズエラやアルゼンチンなどのように左派政権が誕生することはなかった。しかし、市民の間では、抗議活動を機に芽生えた政府への不信感はじわりと広がっていた。また、新型コロナを受け、社会格差が広がったことも既存の政治体制にとっては逆風となった。これまで、社会の安定と経済成長の持続性を優先していたコロンビア国民だったが、新型コロナウイルスを機にこれらの前提が崩れ、変革を求める声が相次いで顕在化した。2022年6月の大統領選では、格差社会の変革を公約に掲げる元ゲリラ兵士、グスタボ・ペトロが大統領選で当選した。

ペトロの大統領選への挑戦はこれがはじめてではない。18年の大統領選では社会変革を掲げて決選投票まで残り、最終的に41%の得票率を記録していた。しかし、当時の取材を振り返ると、ペトロ陣営の支持層は山間部や農村など貧しい地域が中心で、都市部では勝ち目のない戦いに対するスタッフのモチベーションは低く、選挙結果を待つ集会ではたるんだ雰囲気の中、大麻の匂いが漂う有様だった。左派への不信感が社会を覆う中、左派政権の誕生は予想できないというのが当時の私の率直な感想だ。

しかし、今回の大統領選の映像では見違えるようだった。副大統領候補に黒人女性を据え、格差の是正を唱えるペトロの自信に満ちた演説は人々の心をつかんだ。変革を求める人々の熱狂は、地球の反対側からパソコンで選挙の映像を見ている私の目にも明らかだった。

もっとも、熱狂がこのまま継続するかは予断を許さない。「我々はコロンビア、中南米、そして世界の新しい歴史をつくった」と勝利宣言したペトロだが、社会格差の是正という公約が実現するかは不透明だといわざるを得ない。むしろ、国民の期待を背負ったペトロこそが経済成長を目指すうえで最大の障壁だという指摘もある。

昨今の環境意識の高まりを受け、ペトロは石油の新規探鉱の開発を制限する方針を打ち出している。投資を縮小したことで生産量が減少したベネズエラの例を見るまでもなく、石油産業にとって継続的な投資は不可欠だ。脱炭素は世界的な潮流であるとはいえ、石油はコロンビアにとって最大の輸出品目でもあり、それを補う産業は育っていない。現実を無視した理想主義的な経済政策を掲げるペトロに対し、エチェベリ元財務相は「自殺行為だ」と激しく批判するが、ペトロの耳に届いている様子はない。22年11月、コロンビア国営石油のエコペトロルは米エクソンモービルと共同で計画していた石油の開発計画を止めた。環境に配慮した政策ではあるが、ロシアのウクライナ侵攻を機に世界中で原油の需給が逼迫しているタイミングであり、原油高という資源国にとって千載一遇のチャンスをみすみす放棄するその政策は、世界中の石油産業に驚きをもって受け止められた。

就任から2カ月後の22年10月、ペトロは中央銀行がインフレ対策として行っている利上げが経済を停滞させているとして、猛然と中銀を批判した。インフレ対策としての政策金利の引き上げは金融政策の基礎であり、日本を除く世界中で行われているものだ。経済の専門家の意見に耳を貸さないペトロの姿勢は市場から不信感を持たれており、通貨ペソは売られている。

就任間もないペトロの手腕に対して評価を下すにはまだ早いが、経済と市場が密接にリンクしている現在、経済政策の失敗は通貨安というかたちですぐに顕在化する。市場を無視した政策が行き着く先はベネズエラであり、アルゼンチンであることを我々は知っている。「変化」を求めた多くの国民が、暴れた後の後始末までは考えていないことは明らかだ。IMFによると、コロンビアの23年の経済成長率は中南米地域平均を下回るとみられている。長きにわたる内戦を終えたコロンビアだが、待ち受けているのは平坦な道ではなさそうだ。

ペルー、フジモリの大いなる功罪

これまでチリやコロンビアの政治が混乱している様子を伝えてきたが、輪をかけて酷い状況なのがペルーだ。汚職が蔓延し、政治家や政党同士の権力闘争は国民不在のまま深刻化。近年は事実上の権力の空白状態が続いてきた。日系人初の大統領として1990年にアルベルト・フジモリが就任して以来、紆余曲折ありながらも高成長を続けてきたペルーだが、フジモリの巨大すぎる存在感が国を二分し、政治の停滞を招いた。

近代ペルーの政治史を振り返る上で、最も多くページを割く必要がある政治家といえば、フジモリ元大統領をおいてほかにいない。ハイパーインフレで経済が傷み、左翼ゲリラによるテロが蔓延する90年に大統領に就任したフジモリはＩＭＦと連携して債務削減に着手。国営企業の民営化や外資導入などドラスチックな改革を推進することで経済の立て直しを成功させたほか、左翼ゲリラを徹底的に掃討することで治安を回復した。その強力なリーダーシップと功績はペルーの近代史で他の追随を許さない。

一方、対立する議会を一方的に閉鎖し、軍とともに立ち上がり権力を掌握した「自主クーデター」に代表される強権的な政治手法への批判は根強く、左翼ゲリラの掃討作戦では特殊部隊による市民の殺害など、人権を無視した超法規的な措置も目立った。日本では１９９６年に発生した左翼ゲリラによる日本大使公邸人質事件や、国民新党からの参院選への立候補を思い出す人も多いだろう。毀誉褒貶《きよほうへん》の激しい人物であり、「黙々と真面目に働く」という南米における日系人のイメージを大きく変えたとも言われている。

沈みかけていたペルーを立て直したフジモリだが、任期終盤は権力維持のために憲法の規定を無視して3選を強行するなど、中南米の独裁者にありがちな行動にでた。汚職疑惑が発覚して失脚後は日本に事実上亡命。5年間の日本滞在後、チリで身柄を拘束され、収監されるという波瀾万丈な人生を歩んだ。退任から20年以上が経った現在もなおペルー国内ではフジモリを支持するか支持しないかで国が分断されるほど、評価は定まっていない。

フジモリの政界引退後も、ペルー政界は親フジモリ・反フジモリで二分され、混乱が続いた。混乱の最大の要因は、フジモリの後継者である長女のケイコ・フジモリだ。ケイコは亡命した父の意思を継ぐかたちで政界に進出し、２０１１年のペルー大統領選に立候補。フジモリの政治手法の是非を問うかたちとなった結果、決選投票では僅差で敗れたものの、得票率は約49％と高く、同時に行われた議会選ではケイコが率いる政党フエルサ２０１１（後にフエルサ・ポプラルに改名）は第2党となった。ケイコを支持する議員で構成された同党は事実上の「フジモリ派」として、議会で大きな影響力を持つことになる。

16年の大統領選も同様の構図で、フジモリ時代を肯定的に捉える国民がケイコに、否定的な国民が対抗馬のクチンスキに投票するという流れとなり、歴史的な接戦の末にケイコは破れた。国家の未来を決める大統領選であるにも関わらず、いつまで経っても政策ではなくフジモリ・反フジモリが最大の争点となるのは、それだけフジモリの功罪が大きいからにほかならない。

汚職にまみれた政治家の宝庫

２０１１年、16年と2回連続で大統領選に敗れたケイコだったが、むしろペルー政界内での政治力は増した。権力の源泉は議会であり、議員の数だ。ケイコ率いるフジモリ派は議会で最大勢力となった。ペルーは大統領制だが、議会の力も大きく、大統領だけでは政治を前に進めることはできない仕組みになっている。フジモリ派はこの構造を活用し、議会として政府に抵抗することで存在感を発揮した。特に16年の大統領選で敗れた後は、クチンスキ政権の一挙手一投足に反対することで圧力をかけ続けた。フジモリ派の主導により、議会は主要閣僚や内閣に次々と不信任案をしかけた。大統領が予算を執行しようとしても議会が阻止すると言った具合で政策は実現されず、権力の空白が常態化した。自分が大統領になればこれらの問題を解決できると言わんばかりに圧力をかけ続けるケイコの存在自体、ペルー経済のリスクになりつつあった。

また、ペルー政界の汚職が混乱に拍車をかけた。世界の汚職を監視するNGOの独トランスペアレンシー・インターナショナルによると、2022年の時点でペルーの汚職指数は世界101位。汚職の代名詞のように語られるブラジルが94位であることを考えると、いかに腐敗が進んでいるかが分かるだろうか。現地に進出する日本企業の幹部がため息をつきながら「この国で汚職と無縁な有力政治家なんて存在しない」と話す始末で、その言葉を裏づけるように、歴代大統領はことごとく逮捕されたり海外に逃亡したり、自殺したりしている。

16年の大統領選でケイコを下して大統領に就いたクチンスキも例外ではなかった。大統領選から1年半後の17年12月、かつて財務相を務めていた頃に海外のゼネコンからコンサル料の名目で賄賂を受け取っていたという疑惑が発覚。当初は否定していたが、議会で罷免決議の可決が避けられない中、「国にとって辞任するほうが良い」と述べ、辞任を表明した。

クチンスキの辞任は、思わぬハレーションも引き起こした。辞任表明の直前、フジモリ派の野党議員に対し、罷免《ひめん》決議での造反と引き換えに選挙区への公共工事の約束をちらつかせる動画が公開されたのだ。造反をしかけていたのはクチンスキ派の議員ではなく、ケイコの弟で国会議員のケンジ・フジモリだった。ケンジは歴としたフジモリ派の一員だが、21年の大統領選を巡り、3度目の挑戦を目指す姉ではなく自分こそが候補者に相応しいという主張の下、クチンスキと結託して党の指導者であるケイコに反旗を翻した。要するに、政策の違いなどではなく、ただの姉弟喧嘩だ。一家の跡目争いがペルーの政治そのものを揺るがしているという現実は、ペルー国民にとっても、海外の投資家にとっても受け入れがたいものだった。また、与野党を問わない形で汚職が日常として根づいている様子を見て、国民の政治に対する不信感は更に高まった。その後、ケイコも汚職が発覚し、身柄拘束と釈放を繰り返すこととなる。

ケンジとケイコがそろって表舞台から消えたことでフジモリ派の勢いが衰えた後もペルー政界の混乱は落ち着くことはなかった。クチンスキの後継で大統領となったビスカラは就任から2年半で汚職が発覚し、議会からの圧力で辞職に追い込まれた。なお、政治改革を進め国民からの人気は高かったビスカラだが、新型コロナ禍の折、ビスカラをはじめとした重要閣僚が秘密裏に海外から調達したワクチンを自分たちにだけ接種していたことがのちに明らかになっている。結局、どんな政治家であれ、清廉潔白からはほど遠いという実情は国民の間で失望感を招いた。

その後、ビスカラを引きずり下ろすかたちで大統領に就任したメリノは国民からの猛反発を受け、わずか5日で辞任。わずか1週間で大統領が2回変わるという異常事態は、ペルーという国の民主主義が混乱のまっただ中にあることを示していた。

こうした中、2021年の大統領選は本命不在の大混戦となった。10人以上が名のりをあげたが、1回目の投票では誰一人として当選要件を満たさず、ケイコとともに決選投票に進んだのは元小学校教師で労働組合の幹部、ペドロ・カスティジョだった。良くも悪くもフジモリの長女という看板で抜群の知名度を誇るケイコに対し、カスティジョは地方都市を基盤としており、ペルーの主要メディアは有力候補として扱っていなかった。高成長を実現したペルーだが、首都リマに富が集中しており、先住民系の人々が暮らす山間部は貧しい。カスティジョはこうした農村をめぐり、地方と都市の所得格差の是正を提唱。経済成長の陰で、山間部などで「日中から働きながら貧困状態にある子どもたちがいるのは政治の責任だ」と主張し続けた。

経済界は急進左派的な政策を掲げるカスティジョを「共産主義者」だと攻撃し、主要メディアもカスティジョの経済政策の危険性を報じた。これまで親フジモリ・反フジモリで割れていたペルー政界の主要政党が「民主主義を守るため」としてケイコを支援するなど、これまでに見られなかった動きがでてきたが、既存の政党に愛想をつかしたペルー国民が選んだのは、政治の素人であるカスティジョだった。

植物の繊維を編んだ農作業用の帽子をトレードマークとするカスティジョは農作業用の馬を乗りこなすなど、風貌からして既存のエリート政治家とは明らかに違った。リマに家を持たず、子どもを公立学校に通わせるなど、地方の貧しさを実感させる乾いた土の香りを漂わせる指導者の登場を、既存の政治に絶望し、見捨てられていた人々は熱狂的に歓迎した。

しかし、就任から2年近く経った現在、おおかたの予想通り、ペルー政治は混乱のまっただなかにある。カスティジョを担いだ左派政党ペルー・リブレはマルクス主義を信奉する勢力と現実路線を採る政権側で対立し、大統領を支える首相は約1年間で4回交代した。追い詰められたカスティジョは22年12月、一時的な議会の閉鎖を宣言。かつてフジモリが行った自主クーデターの再現を狙ったが、軍や警察が同調することはなく、逆に「憲法に違反している」として身柄を拘束された。カスティジョの失脚に先立つこと2カ月、ワシントンポストは「ペルーは7年間で5人の大統領がいた。カスティジョもこれに続くか？」とする記事を掲載していた。誰が大統領になってもすぐに辞めるような安定とほど遠い状況で、企業が喜んで投資することはない。

カスティジョが失脚後、支持者の抗議活動が暴徒化し、多数の死者が出るのも南米ではおなじみの光景だ。マチュピチュやナスカの地上絵など世界中から観光客を惹きつける魅力を持ったペルーだが、相次ぐ暴動や混乱は外国人旅行客からも嫌気される要因となっており、自ら経済を毀損している。

カスティジョの後を継いだディナ・ボルアルテ大統領は混乱を収束させるため大統領選を2年間前倒しして24年に実施することを決めたが、混乱は収束していない。汚職や不平等、格差の一掃といった左派政権に期待された役割は一切達成されることなく、新たな混乱の芽が次々と蒔かれては育っている。

ボリビアの歩む道

これまで、ベネズエラのように左派政権の失政で経済が破綻状態に追い込まれた例をはじめ、アルゼンチンやブラジルのように右派と左派の対立で蛇行している国、そしてチリやコロンビア、ペルーといった、急進左派的な政権が突如誕生し、混乱が続いている様子を紹介してきた。これらのどの国とも違う道をたどるのが、南米の中心に位置する内陸国、ボリビアだ。人口約1000万人の小国ながら、日本人にとっては高度3600メートルの都市ラパスや、鏡張りの絶景が有名なウユニ塩湖でお馴染みだろう。

約14年にわたり反米左派政権が続いていたボリビアだったが、2019年、不正選挙に怒る国民の蜂起に応えるかたちで軍が大統領に辞任を要求。長期政権を築いていた大統領が亡命し、右派の暫定政権が誕生するという大事件が発生した。路上に繰り出した人々が歓喜の声を上げる一方、左派政権の支持者は抗議のデモに繰り出し、国がまっぷたつに割れるような緊張が走った。その後、20年の大統領選で左派の候補者が当選して混乱は落ち着いたかのように見えるが、未だに火種はくすぶっている。地域同士の対立という、積年の課題を解決する妙案は見えない。

モラレス大統領の失脚

「どこに行くんだ。航空券を見せろ、目的はなんだ」。ボリビア最大の商都、サンタクルス。2019年11月、深夜に到着した空港からホテルに向かうタクシーに乗ると、終わることのない「検問地獄」がはじまった。主要道路は有刺鉄線やバリケード、自動車などで幾重にも封鎖されており、検問のたびに質問攻めにあう。10個目の検問を越えた時点で、検問の数を数えるのは諦めた。平時はホテルまで20分の道のりが、結局、2時間近くかかった。

検問の実施主は警察でも軍でもなく、有志の市民だ。「ブロケアダ（封鎖）」と呼ばれるこうした手法はボリビアでは政府への抗議活動でよく見られるが、今回の規模は尋常ではなく、緊張感が漂っていた。取材が目的だと告げると、「分かっているんだろうな」と脅しともとれるような返事を受けることすらあった。

厳戒態勢の背景にあるのが、約3週間前に実施された大統領選挙だ。選挙の主役は、就任から14年目、4選を目指す反米左派の大統領、エボ・モラレスだった。06年に先住民系としてはじめて大統領になったモラレスはベネズエラのチャベス政権を模倣し、天然ガスなど資

道路を封鎖する市民（サンタクルス）

源輸出で得られた富を貧困層に分配した。貧しい人々のためのインフラを整備し、教育にも力を入れた。米国を「帝国」と呼び口で攻撃する一方、ベネズエラのように一線を越えるような真似はせず、あくまでパフォーマンスにとどめておくバランス感覚も持ち合わせている人物だ。資源価格の高騰という追い風もあり、約14年間の任期で一人当たりＧＤＰを3倍に増やした実績は、南米の最貧国ボリビアにあって燦然と輝いている。

しかし、南米大陸で成功した指導者の多くがそうであるように、モラレスも引き際を誤るという致命的なミスを犯した。もともと、大統領の任期は連続2期までとなっていたが、09年に憲法を改正したことを引き合いに「新憲法では1期目」と主張し、14年の大統領選に強引に出馬し3期目に突入。それでも満足

ボリビアのモラレス大統領（バジェグランデ）

できず、憲法で禁じられた4選に向けて突き進んだ。貧しかった国を豊かにした英雄でも、さすがに多くの国民がこれには反発。資源価格の下落による経済の低迷という要因も加わり、憲法の再選規定の撤廃を巡る国民投票では、「NO」が多数派となった。

しかし、国民の民意ですら、独裁色を強めるモラレスを止めることができなかった。「憲法解釈の結果、出馬は可能だ」と主張して自身の影響下にある最高選挙裁判所に出馬を認めさせ、出馬を強行。19年10月の大統領選は、政策よりもモラレスの是非が問われる内容となった。

この時点で爆発寸前だった国民の怒りに油を注いだのが、追い詰められたモラレスの不正だ。第1回投票では開票途中の時点でモラレスの得票率は40％強にとどまっており、当選要件を満たしていなかった。決選投票の実施が確実視されていたが、なぜか開票速報が中断。その後、不自然な票の動きがあり、選挙管理当局が突如、モラレスの当選を発表した。海外からの選挙監視団が「選挙期間中、権力の乱用による明らかな不平等を目撃した」と指摘したにも関わらず、モラレスはこれを無視し、「私は歴史上で最高のボリビアの大統領になりたい」と勝利宣言を行った。ベネズエラでよく見られた、露骨な不正選挙だ。

民主主義をねじ曲げるかのようなモラレスの蛮行に、市民の怒りが爆発した。その中心地となったのが、私が取材のために訪れた商都、サンタクルスだ。市民は路上に出て、主要道路を封鎖した。冒頭の「検問」もその一環だ。権力の横暴に対し、街を挙げたストライキで対抗したかたちで、封鎖は24時間体制で継続されており市民の意気は高かった。市中心部に近い検問でリーダー格だった男性に話を聞くと、「モラレスは不正選挙で民主主義のルールを破った。我々にはこの方法しかなかった」とまくし立てられた。

サンタクルスと周辺都市を含めた都市圏の人口は200万人を超える。人口の2割を占める一大経済圏の商店が午前中のみの営業となり、普段は夜までにぎわっていた飲食店が並ぶ目抜き通りはゴーストタウンのようになっていた。この間、人々は無給で耐え忍んだ。市民の間で共通していたのは、不正選挙による独裁化を許せば、豊かな資源国から難民流出国家に転落したベネズエラの二の舞になるのではという危機感だ。

法的な権限を持たない市民の道路封鎖という異常事態を警察は黙認した。警察署を訪れると、壁や屋上には反政府の標語が掲示されていた。サンタクルスの警察官はモラレスに造反し、抗議活動に合流していたのだ。混乱の収拾が不可能だと判断した軍はこれに同調し、モラレスを見捨てた。軍のカリマン大将は記者会見を開き、「大統領に対し、職務を辞するよう勧める」と明言。これを受けてモラレスは辞任し、「クーデターだ」という捨て台詞を吐き、海外へ亡命した。14年近く続いた長期政権の終わりにしては、あまりにあっけなく、惨めな結末だった。

ここまで読むと、あたかもボリビアという国が一丸となってモラレスの横暴に対抗したかのように見えるが、そうではない。サンタクルスは農業や天然資源などの産業で知られ、住民も裕福な層が多い。低所得者層を重視するモラレスに対抗する気風がもともと強く、客観的に分析するならば「比較的豊かな市民が、経済を人質にとって独裁化する政府に対抗した」というのが正しい。

一方、飛行機で約1時間、行政機能が集まる事実上の首都ラパスに飛ぶと、似ているようで正反対の光景が広がっていた。「封鎖で車は通れない。ケーブルカーも止まっているし、市街地に行きたかったら歩くしかないよ」。空港で捕まえたタクシー運転手はあきらめ顔で両手を広げた。サンタクルスと似たような状況だが、ここで道を封鎖しているのは、モラレスの支持者だ。

ラパスはすり鉢状の形状をしており、中心部は底、空港は縁の部分に位置する。空港周辺

抗議活動に向かう政権支持者の集団（ラパス近郊）

は標高4000メートルを超えるため、少し歩くと息切れするような環境だ。過酷な土地での生活を強いられるのは、貧しい先住民たちだ。歴史的に、ラパスはサンタクルスよりも貧しい人々が多い。ラパスでは先住民を中心としたモラレスの支持者が軍や警察の造反を「クーデター」だと非難し、モラレスの辞任後、道路封鎖に踏み切っていた。

ひもが張られた質素な検問をくぐりながら歩くと、火炎瓶や鉄パイプなどの凶器を持った集団が数百人単位で「我々は戦う」と叫びながら、市の中心部へと向かう現場に遭遇した。南米大陸で様々な抗議活動を見てきたが、これだけ殺気だった集団に出合うのはまれだ。

旗を振りながら列の後半で歩いていた52歳のロベルト・デラクルスは「警察や軍はエボ（モラレス）を裏切り、国を売った」と憤る。

「我々先住民は教育も受けられず、奴隷のような生活を強いられてきた。サンタクルスに住んでいるやつらの筋書きどおりだ」と、サンタクルスの富裕層を罵倒しながら去っていった。

ラパスでの抗議活動の参加者は零細の自営業者や日雇い労働者が多い。彼らは長年、最低賃金や年金など社会保障制度の枠外に置かれてきた人々だ。ボリビアはスペインの植民地統治の影響を引きずり、白人を中心とした一部のエリート層が富を独占し、山間部に住む先住民は貧しい生活を強いられてきた。かつて、キューバ革命の英雄である革命家チェ・ゲバラがボリビアの親米右派政権を転覆しようと潜入したことで知られるが、ボリビアは当時からずっと南米の最貧国であり続けた。

こうした状況を変えたのが先住民出身の指導者である、モラレスだ。モラレス政権下の平均経済成長率は約5%を記録し、極度の貧困層が人口に占める比率は15%と、就任当初の38%から大幅に低下した。格差を示すジニ係数はかつて0・6を超え世界最悪の水準だったが、モラレス政権下で約0・4まで低下し、南米では最も格差が小さい国のひとつとなった。交通の便が悪い山々にはケーブルカーが張りめぐらされ、人々は安価に移動できるようになった。サンタクルスの市民が「票を買うためのばらまき」と批判する低所得者向けの補助金やインフラ投資は、モラレス支持者にとり、子どもたちに教育を受けさせ、貧困の再生産を止めるための希望だった。

ラパスの空港周辺では、抗議の声をあげるでもなく、先住民の旗を持って静かにたたずむ一団がいた。アレハンドラと名乗る22歳の女子学生は「独裁は支持しないけど、我々先住民は同じ人間として認められず、貧しさを強いられたことを皆に知ってほしい」と静かに語っていた。

野党出身のヘアニネ・アニェス上院副議長はモラレス派の与党議員が国会をボイコットする中、暫定大統領への就任を一方的に宣言した。モラレスが国を去ったことで独裁化という危機は去ったが、振り返ってみれば、また新たな混乱が生まれただけだった。

サンタクルスの人々が「民主主義を取り戻した」と街頭で花火を打ち上げる中、ラパスでは怒りに満ちたモラレス支持者の一部が暴徒と化した。地域や所得で分断された人々が互いを罵倒する光景がメディアやＳＮＳを通じ国中を駆けめぐり、ボリビア国民の脳裏に深く刻まれた。

左派政権の復活

民主主義をねじ曲げるような選挙不正が発覚し、左派政権が崩壊。カリスマ的な大統領は国外に亡命を余儀なくされ、右派政権が樹立された。地域や所得階層によって国は分断され、互いの陣営を罵り合う中、新型コロナウイルスという疫病が襲いかかった――。危機的な状況にあったボリビアの民主主義だったが、意外とも言える粘りをみせた。モラレスの亡命から約１年後、２０２０年10月に行われた大統領選では、モラレス政権下で経済・財務相を務めた左派のルイス・アルセが当選した。中道から右派の候補者が乱立したことで票が分散したという事情もあるが、アルセの得票率は55%と、2位の候補者に26ポイント以上の差をつけており、圧勝だった。「我々は民主主義と希望を復活させた」と勝利を宣言したアルセの下には、先住民をはじめ多くの貧しい人々が集まり、歓喜の声を上げた。

アルセの圧勝は、「モラレスの独裁は嫌だが、この国にはまだ左派政権による分配が必要だ」という民意にほかならない。ボリビアの一人当たりGDPは3000ドル強。これはブラジルの半分以下、アルゼンチンの3分の1にすぎない。実際、新型コロナ禍で経済活動が停滞する中、多くのボリビア国民が飢えに苦しんだ。

アルセは当選後、「飢餓に対するボーナスを払う」と述べ、低所得者向けの現金給付に取り組むと宣言。また、財源を確保するために富裕層への増税を実施。3000万ボリビアーノ（約4億6000万円）以上の資産を保有するボリビア人に対し、1～2%程度を徴収した。「危機を脱するために新自由主義を解体する」というアルセの言葉はベネズエラを思わせ、企業の間には強い懸念が広がったが、権益の国有化のような一線を越えることはなく、急進色を抑えた手堅い政権運営に取り組んだ。

アルセの就任から1年半がたつが、ボリビア政治は不安定と安定が同居した状況だ。モラレス政権は通貨ボリビアーノと米ドルを連動させるペッグ（連動）制により為替をコントロールしてきたが、モラレス政権下で長年の経済改革を怠ったツケが出て、外貨準備高が減少。

23年に入ると、通貨の下落が始まった。3月にはドルを求めて市民が銀行の前に行列を作った。格付け会社の格下げと重なり、金融市場ではボリビア国債のデフォルトが懸念される。

一方、アルセの堅実な統治スタイルそのものに対する国民からの支持は底堅い。4月に発表された世論調査では、アルセの支持率は36%と、国民の3分の1以上からの支持をとりつけている。

面白くないのがモラレスだ。かつて亡命先の海外からアルセの擁立に動いたモラレスだが、アルセ政権が経済政策の修正に取り組む中、今度は左派の与党内から攻撃を受ける立場となった。モラレスは先住民グループとともに権力の奪還を進めるが、国を追われた経緯もあり、国民から広範な支持を得られているとは言い難い。後継者を育てなかったことがモラレスの最大のミスだが、今から考えると、後継者に裏切られるリスクを分かっていたからこそ、権力に固執したとも言える。

19年の「クーデター」の舞台となったサンタクルスでは、依然として左派政権に対する反感は強い。一方でモラレスの不正選挙のような大義名分がない中、かつてのような大規模なストライキを連発する機運は高まっていない。本書を執筆している23年5月の時点で、民主主義のルールを無視して国を動かそうという声は少なく、人々は一定の不満を抱えながらも生活を営んでいる。

分配から産業振興へ舵を切れるか

ボリビアから学べることは多い。歴史的に右派と左派と言うイデオロギー的な対立軸が生じやすい南米では、左派政権が分配策を採ると「共産主義者」といったレッテルを貼られ、対立の軸になりがちだ。企業や投資家、メディアも交えて、左派が政権を握ると経済が崩壊すると騒ぎ立てることも少なくない。しかし、低所得者の底上げは不平等を減らすことにつながり、民主主義の安定的な運営には不可欠だ。富裕層への増税は国連のグテレス事務総長も賛同しているもので、富の偏在を是正するという観点では合理的だ。ベネズエラのような野放図なばらまきは論外ではあるが、市場との対話を通じながら、インフラ整備や現金給付で低所得者の所得を底上げしつつ、教育機会の提供で機会の平等を実現していくというボリビア政府の路線自体は決して否定されるものではない。

一方、人々が求めているのはあくまで民主的に選ばれた政権による統治であり、独裁ではない。2019年の政変では、軍がモラレスに引導を渡すかたちとなったが、仮に軍がモラレスと結託していれば、ベネズエラのような独裁政権が誕生していた可能性は高い。英エコノミストの民主主義指数では、ボリビアの順位は全167カ国中100位と、決して高いとはいえない。それでも、国が傾きかねない混乱にも関わらず、民主主義が維持されているという点は高く評価されるべきだ。

不正選挙に手を染めた大統領を国民が許さず、軍と連携して国外に追い立て、その後の選挙で再び政権交代が起きるという19年から20年までの一連のプロセスは薄氷を踏むようなものだった。経済活動のボイコットという、日々の稼ぎを代償にしてでも民主主義を守ろうと戦った人々の奮闘のたまものだ。その後の左派政権の返り咲きを受け入れたという点でも、ボリビア国民にとって、民主主義の持つ重みがうかがい知れる。

もっとも、経済成長の原動力である給付がいつまで持続可能かどうかには疑問符が付く。IMFによると、ボリビア政府の財政収支は15年から7年連続でマイナス7％以上の赤字を記録しており、近年は新型コロナ禍の影響もあり拡大傾向にある。最大の輸出品である天然ガスは近年産出量が落ち込んでおり、このまま分配だけに頼るわけにはいかない。

ボリビアにはEV用蓄電池の基幹素材であるリチウムなど豊富な天然資源もあるが、有効活用されているとはいいがたい。海外企業にとって、政治や税制、インフラなども含めてリスクが大きい国とみなされており、直接投資を呼び込めていないという点は改めて指摘しておきたい。地域別の支持層の偏在も、国民統合という観点からは放置し続けることはできない。国の立て直しを進めるアルセ政権だが、今後は分配だけでなく、産業振興や外資の誘致という点でも実行力が試される展開だ。

第5章

ポピュリズム大陸から日本への警告

JAPAN

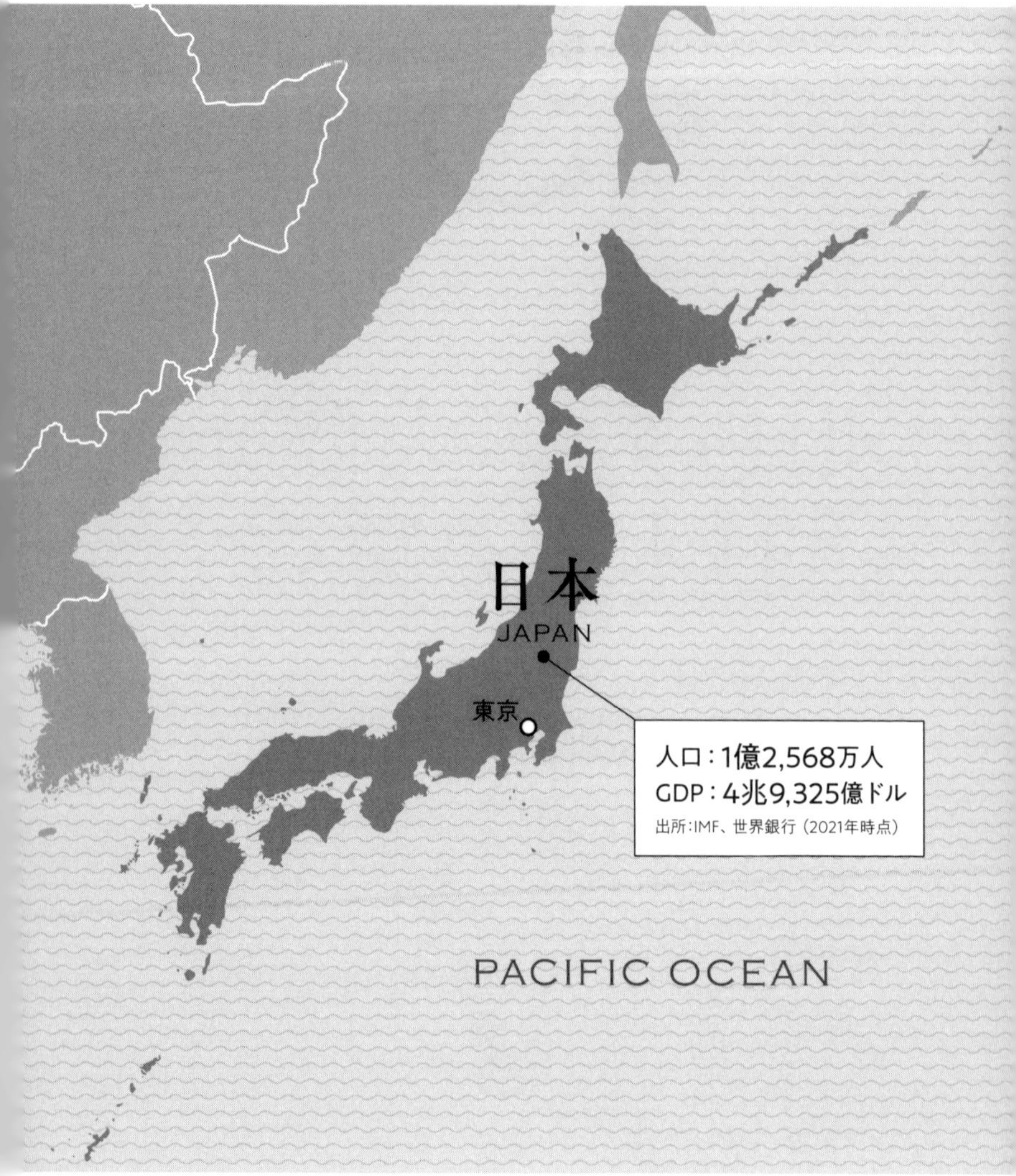
日本
JAPAN
東京
人口：1億2,568万人
GDP：4兆9,325億ドル
出所：IMF、世界銀行（2021年時点）
PACIFIC OCEAN

本書ではこれまで、ベネズエラを皮切りにアルゼンチン、ブラジル、チリ、コロンビア、ペルー、ボリビアと南米各国の近代史について、かけ足ではあるが政治と経済の観点から紹介してきた。南米大陸とひと口にいっても経済規模から所得水準、経済構造、政党の勢力図、人種構成と何もかもが異なり、十把ひとからげにまとめることが適切だとは思わない。あくまで各国の国民が民主主義に則った選挙によって国の代表を選んでいるのであり、隣の国で政権交代が起きたからといってそれが伝播した、という単純なものではない。昨今の相次ぐ左派政権の誕生ひとつとっても、メディアが分かりやすくしようと「南米左派ドミノ」といった低い解像度でまとめることが理解を妨げている面すらあると思う。

しかし、これまでの歴史をふり返ると、なにが人々を動かし、左派政権を誕生させているのかは見えてくる。それは繰り返し書いてきたとおり、格差への怒りだ。本書で頻出単語であるジニ係数は1に近いほど格差が大きく、不平等であるという指標である。世界銀行のデータによると、2020年の時点で南米各国はコロンビアの0・542を筆頭に、ブラジルの0・489、エクアドルの0・473、チリの0・449、ペルーの0・438、ボリビアの0・436、パラグアイの0・435、アルゼンチンの0・423、とおしなべて社会不安の警戒水域とされる0・4を上回っている。0・402と警戒水準ギリギリで、一人当たりの所得も高いウルグアイの政治が比較的安定していることも示唆に富む。昨今の相次ぐ左派政権の誕生も、格差の大きさが根底にあるというのは間違いない。

加えて、新型コロナ禍という未曽有の危機が、左派旋風を勢いづける大きな要因となった。新型コロナ禍はこれまで緩やかに改善傾向にあった社会格差を急速に拡大させ、社会の歪みを可視化した。資産価格の上昇で富裕層の資産が膨れ上がる一方、低所得者は職を、そしてときに命も失った。

南米で実際にコロナ禍を体験した私は身をもって理解したが、南米大陸では命の価値すら所得によって変わるという現実がある。ブラジルでは所得階層によってかかる病院が異なる。富裕層は新型コロナウイルスにかかっても手厚い医療を受けられる中、貧困層向けの病院はキャパシティをオーバーしており、人々がなすすべなく息絶え、棺が路上に放置されるという光景はあまりにも衝撃的だった。

新型コロナウイルスの最盛期で街が静まりかえっているとき、家の近くの大型食品スーパーを訪れると、店の前には四角いリュックを背負った人々が所在なくたたずんでいた。ネットスーパーの宅配の注文を待っているのだ。店内ではこうした人たちがスマートフォン片手に、カートを押し、注文通りにかごに食品を詰め込んでいた。注文の受注から商品のピックアップ、配達までこなすのには1時間近くかかりそうだが、1回の配達で貰えるのはたかだか数百円。我が家の周囲では、買い物代行だけでなく、犬の散歩代行まで流行っていた。「ステイホーム」で家で優雅にくつろぐ富裕層と、命の危険を顧みず、生きるために働く人たち。その断絶は、あまりに大きかった。

21年に入りワクチンの普及で先進国が日常を取り戻しつつある中でも、南米大陸は混乱の渦中にあった。しかし、一部の富裕層にとっては新型コロナ禍は他人事となっていた。21年7月、私は家族とともに夏季休暇のためにニューヨークを訪れたが、そこで目にしたのはワクチンを受けるためにはるばる米国までやってくる南米諸国の富裕層の姿だった。自分の国では中国製ワクチンしか受けられなかったり、まだ年齢的に順番が回ってこなかったりという理由で、米国に長期滞在してファイザーを求める人々の姿がそこにはあった。その滞在費用は、母国の平均所得の何年分に相当するのだろうか。ニューヨーク、グランドセントラル駅の接種会場ではスペイン語が飛び交い、インタビュー相手には困らなかった。

こうした光景を目のあたりにした人々が、例え汚職疑惑を抱えていようが、政治経験がない素人であろうが、分配の強化を訴える左派の指導者に希望を託したくなる理由は理解できる。それがいばらの道だと知っているのは恵まれた立場のエリートであり、そうした立ち位置からの警告は、絶望的な格差を目の前にした人々には届かない。

民主主義を取り戻して以来、左派ポピュリズムがずっと南米大陸を席巻していた訳ではない。政治の左傾化を招いたのは中道政党や右派政党の不作為でもある。私は南米各国の様々な都市を訪れたが、多くの街にスラム街が存在していた。ツテをたどって実際に足を踏み入れたことも何度もあるが、どこも判で押したように不衛生で、麻薬が氾濫しており、そして多くの子どもたちが学校に通わず遊んだり働いたりしていた。

中道・右派政権の多くは格差是正よりも経済成長を優先し、こうした人々の声を吸い上げ、生活を改善させることを怠った。財政規律を無視した左派政権のばらまきを肯定するつもりは毛頭ないが、ベネズエラの独裁政権ですら、歴史をさかのぼれば格差に怒れる市民たちの一票がチャベス政権を誕生させたというのはこれまで書いてきたとおりだ。南米大陸で連綿と続く政治混乱も、左傾化も、治安の悪化も、もとを正せば諸悪の根源は不平等であり、大きすぎる格差であることは間違いない。その要因は欧州による数百年の植民地支配という悲惨な歴史があり、その根は深い。

南米各国の数々の選挙を取材したが、私が心がけていたのは現場の集会に足を運ぶことだった。事前の世論調査でなんとなく勝敗が見えていても、現場に行かないと見えないものがあるという信念を持って、靴底をすり減らした。人混みの中で財布やスマートフォンをすられたことも一度や二度ではないが、彼らの生の声を聞き、熱気に触れるということで、ホテルでパソコンと向き合っているだけでは決して得られない情報を手に入れることができた。

ほとんどの国で、地球の反対側からやってきた、つたないスペイン語やポルトガル語を話す外国人記者を歓迎してくれたのは左派陣営の人々だった。彼らは口々に「私たちの置かれた状況を世界に伝えてくれ」とまくしたて、ときにはその場で政党幹部との取材をセッティングしてくれることもあった。自戒を込めて書くが、政治を動かしているのは「高所得者層」や「低所得者層」といった顔の見えない属性ではなく、人々の熱意だ。不平等な国を変えようという彼らの熱意を、エリートたちは見誤った。それは、所得の多寡に関係なく平等に投票権が与えられる世界では、致命的なことだった。

生活者目線での格差

これまで、特派員としての視点から南米各国の富裕層と低所得者の分断の様子を描いてきたが、サンパウロで4年半暮らした、生活者目線での格差の実情も少し紹介したい。

私の子どもはイギリス系のインターナショナルスクールに通っていたが、そこでは我々のような外国人駐在員の子弟に加え、現地で暮らすブラジル人の富裕層の子どもたちが数多く通っていた。

ブラジルでは、子どもの誕生日を盛大に祝う習慣がある。数え切れないほど子どもの友人の誕生日パーティーにお呼ばれしたが、なにもかもが日本の常識からはかけ離れていた。パーティー会場には日本のゲームセンターに置いてあるような大型のゲーム機や遊園地にあるような小型の観覧車が設置されており、何人ものスタッフが子どもたちを喜ばせるためにバルーンアートをつくったり、ケーキを運んだりと忙しそうに働いていた。正確な額は覚えていないが、知人に聞いた豪華なパーティーの開催費用は、当時のレートで10万円や20万円ではきかなかったように思う。

数時間のパーティーでそれだけの浪費を楽しむ家庭がある一方、一歩外に出れば、スーパーやドラッグストアの入り口では段ボールの上に座った母親が乳児を抱きかかえ、「お金がないから助けてくれ」と道行く人に懇願する様子を目のあたりにすることになる。パーティー会場近くの道路では、私の息子と同年代の子どもたちが、赤信号で止まった自動車を相手に菓子を売り歩いていた。山のようなプレゼントに囲まれている子どももいれば、信号が赤から青に変わるまでの短い時間に駆け足で1個数十円の菓子を売り歩く子どももいる。それがブラジルの、そして南米の現実だ。

もちろん、先進国である日本から駐在員として派遣され、子どもをインターに通わせて防弾車を運転する私も彼らから見ると特権階級の一員であったことは間違いない。この後ろめたさは、日本に帰国し1年以上たった今でも胸に引っかかっている。それでも、日本で育った私には、同じ国籍を持ち、同じ言葉を喋る人々が、生まれた家によってここまで差がつくという不条理さは最後まで慣れることがなかった。

子どもの教育についても、格差は理不尽なほど大きい。インターに通っていたブラジル人の子どもたちの圧倒的多数は欧州系の白人で、皆、判で押したかのように警備員に守られたプレジオ（アパート）で暮らし、週末は郊外の別荘で、長期休暇は親族がいるフロリダか欧州で過ごしていた。日本のサラリーマンとは文字どおり次元が違う富裕層たちだ。

幼少期からインターで学び、大学や大学院は米国に留学し、そして帰国後もエリートとしてあらかじめ用意されたポジションに就く。彼らの人生で路上やファベーラで暮らす人々と接する機会はほとんどなく、ババ（子守）やファシネイラ（清掃作業員）など、いわゆる「使用人」が家にいる程度だ。彼らの目に、同胞である貧困層が映ることはない。

公立学校で勉強を頑張り、学問で身を立てるという方法もまったくないとは言えないが、日本に比べて、そのルートはか細く、頼りない。公立学校の多くは午前・午後の二部制で、授業時間からして短い。先生の質も、私立に比べて高いとはいえない。中間層の多くはこうした学校を避け、私立学校に子どもを通わせる。私立学校はピンキリではあるが、授業の質や進学実績は公立学校とは比べるまでもない。ブラジルでは、9年制の小中学校を卒業できるのは全体の半数とも言われる。

学校をドロップアウトした子どもたちがどういう道をたどるのかというと、大半は地下経済に従事することになる。「地下」という言葉が誤解を招きやすいが、要するに徴税や社会保障費の負担からもれた人々のことであり、一部の個人事業主や零細商店も含まれる。先ほど紹介した、路上の物売りなどもこれにあたる。少し古いデータではあるが、FGVの推計によると、ブラジルのGDPに占める地下経済の比率は17年の時点で16・6％に達するという。

彼らの多くは都市部ではファベーラに住んで暮らしている。よく勘違いされるが、ファベーラに住む全員が全員、犯罪組織に属して、強盗や麻薬の売買に従事しているわけではない。彼らの大半は清掃夫や小売店の従業員など、様々な場所で汗を流して働いている。ファベーラの住民の多くは大都市を維持するために必要不可欠な労働力でもある。

しかし、こうした人々の多くは社会保障の枠組みから外れており、労働者としての立場は弱い。新型コロナ禍の真っ盛りの中、炊き出しの列を取材したことがあるが、多くの人々が非正規の立場で、補償を受けることなく突然クビを切られ、路頭に迷ったと話していた。彼らの子どもも、また貧困の連鎖に絡めとられていく。

国内外に十分な資産を持ち、子どもの教育に多額の費用をかける富裕層と、その日暮らしで勉強の機会を与えられない低所得者層。この断絶は埋まることなく、むしろ差は開き続けている。政治家も率先して自分の子どもたちをインターや私立校に入れ、コネづくりに励むのが南米流だ。ペルーでカスティジョが大統領に就任したとき、子どもを公立校に通わせているというのが驚きをもって報じられたが、それほどまでに公立学校は信頼されていない。

莫大な富を代々引き継ぐ富裕層と、それなりに安定した生活の中間層、そして低所得者層。異なる階層の人々が交わることはなく、階層の移動もまれだ。ブラジルでルラが人気だった最大の理由は、何の後ろ盾も持たない小学校中退の人間が政権の座に就いたというサクセスストーリーに加え、経済を拡大させながら低所得者層を底上げしたことで、「自分たちでも中間層に届く」という夢を現実にしたことだ。サッカー選手にならなくても、宝くじに当選しなくても、子どもを学校に通わせてよりよい職業に就かせることができるというささやかな夢。それは、長い歴史でほとんど顧みられることがなかった。希望を持てなくなった人々が望むのは既存体制の打倒であり、社会の変革だ。

南米の人々は政治の話が大好きだ。職業柄、私は数多くの国際会議やパーティーに出席する機会に恵まれた。初対面にも関わらず、こちらが外国からやってきた記者であると分かると、いきなり自国の政治をどう思うか聞いてくる人が多かった。相手の職業は企業に勤める社員から記者や官僚、弁護士など様々だが、ほとんどは決まって大学を卒業したエリートだった。

どの国のエリートも、意見交換後には決まって「左派政権が続くと、経済は厳しいことになるね」と困った顔で話していた。経済記者として、そうした意見に同調したくなる気持ちは分かる。一方、大企業や国のかじ取りをする人々に格差や不平等を是正しようという気概がない以上、人口分布で圧倒的多数である低所得者層が立ち上がり、社会主義的な左派政権を樹立させるのは理にかなっているというのも同時に思った。

一部の富裕層と大多数の低所得者層という構図が続く以上、南米各国の政治は常に左傾化のリスクを抱えているといっても過言ではない。南米に進出する企業は、今後も反ビジネス路線の政策がとられる可能性を計算する必要があるだろう。私の着任当時の、アルゼンチンやブラジルで相次ぎ右派政権が誕生し、世界中の投資家が熱視線を送っていたころの熱気がしばらく期待できそうにないことだけは確実だ。

もっとも、民主主義の仕組みが維持される限り、未来永劫、南米大陸で左派政権が権勢を保ち続けられるとも思えない。各種データから見えるのは、今後、各国の左派政権を待ち受ける厳しい現実だ。

00年代、資源価格の高騰を背景に高成長を遂げた南米の左派政権だが、同じことを繰り返すのは難しい。ロシアによるウクライナ侵攻に端を発した資源価格の上昇は1次産品に依存する南米経済に追い風のように見えるが、同時にインフレが進んでおり、市民の懐は打撃を受けている。インフレ対策として各国は政策金利を引き上げており、新型コロナ禍後の経済回復は目にみえて鈍化している。ＩＭＦは中南米地域の23年の成長率を1・6％と、22年の4％から大幅に減速すると予想する。かつてのように、資源価格が上昇したから経済が回復するという単純な構図ではなくなっている。

加えて、この20年間で膨張した政府債務が重くのしかかる。各国とも財政改革を行わなかったため、多くの国で財政赤字と経常赤字の「双子の赤字」が重荷となっている。18年に発生したアルゼンチンの通貨危機が典型例だが、一度「売り」だと判断されると、市場は一斉に通貨や国債を売り浴びせる。

各国とも1990年代の中南米通貨危機の教訓を生かし外貨準備高を積み上げているが、それでもチリの暴動や新型コロナ禍を機に各国で通貨が最安値を更新したことからも分かるとおり、不安定さは残る。ＩＭＦはリポートで「公共支出を抑制し、税制の設計を改善し、財政規律を持続的に確保するために財政の枠組みを強化する必要がある」と指摘したが、財政支出の拡大を唱えて政権の座に就いた左派の指導者がこうした政策を実行するのは容易ではない。打ち出の小づちが手元にない状況で、左派政権がどのように市場に不安を起こさずに分配政策を実現していくのかというのはこれまでにない難問だ。アルゼンチンで大きな期待を背負って誕生した左派政権が沈んでいく様子を見ながら、当時、政権交代に熱狂していた人たちの顔を思い浮かべる。今、彼らは何を考えているのだろうか。

格差とポピュリズム

格差の拡大が引き起こす人々の怒り、そして政治への飛び火、その後の混乱。私が本書を通じて繰り返し書いてきたことは、なにも南米に限った話ではない。２０１６年に全世界を驚かせた、英国のＥＵ離脱（ブレグジット）の国民投票ではＥＵへの反発や反移民感情と並び、格差問題もひとつの争点とされた。世界銀行によると、英国では格差の指標であるジニ係数は13年を底に上昇傾向にあった。この間、グローバル化に乗って英国経済は成長していたが、貧しい地域に住む人々はその恩恵を実感できず、変化を求めてブレグジットに賛成したと米ポリティコは解説している。その後のイギリスの政治混乱は見てのとおりだ。

17年の米国でのトランプ政権誕生もまだ記憶に新しいだろう。米国では１９９１年を底に、ジニ係数は上昇傾向が続いていた。この間、米国経済はめざましい発展を遂げ、グーグルやアップルをはじめとしたＩＴ産業は世界中の富を米国に吸い上げた。しかし、中西部や北東部のラストベルト（さびた工業地帯）に代表される、「忘れられた人たち」の怒りは燃え広がり、トランプという希代のポピュリストを選んだ。

ブレグジットもトランプ当選も、南米のように現金をばらまくといった分かりやすいものではない。それでも、扇情的な言葉で仮想の敵をつくり、できもしない大言壮語で大衆を煽るという手法は、私が南米で目のあたりにした、ポピュリズムの手法そのものだ。

ポピュリズムが人気なのは、それが人々の欲望に根ざしているからだ。それは地域によって姿を変え、人々の心を惑わす。それは英国ではブレグジットとして、米国では偉大な大国の復活（メーク・アメリカ・グレート・アゲイン）として、そしてドイツやフランスでは移民排斥という極右勢力の台頭というかたちで現れた。

市民の声を聞くという民主主義の原則がある限り、ポピュリズムと政治は切っても切り離せない。そして、大衆迎合的な言葉が響くのは、現状に不満を持っている人々だ。格差が広がり、治安が悪化し、社会が不安定になればなるほど、「私なら社会を変えられる」と唱えるポピュリストは受け入れられやすい。

外から見ると、日本は世界でも有数の、政治が安定した国だ。南米のような急進左派旋風が起こることはなく、東南アジアのような軍部の政治介入も起きず、欧米のような混乱や極右勢力の台頭も起きていない。しかし、それはポピュリズムと無縁だからではない。むしろ、手痛い失敗の経験が人々の間に残っているからだともいえる。

米ウォール・ストリート・ジャーナルはかつて、日本で２００９年に誕生した民主党の鳩山由紀夫政権について、「ポピュリズム」だと指摘した。日本人として当時を振り返ると、自民党に対する怒りという側面の方が大きかったとは思うが、選挙公約で掲げた子ども手当や高速無料化などの公約に期待して票を投じた有権者も少なくなかっただろう。リーマン・ブラザーズの破綻に端を発した世界金融危機を経て経済が荒廃する中、「埋蔵金」というありもしない夢物語を掲げて政権を奪取した当時の民主党の手法は、十数年後に私が南米で見たものとうりふたつだった。

幸か不幸か、民主党政権が大失敗に終わって野党が分裂したことで自公政権一強体制が生まれ、日本では南米のような国民の半数の支持を集めるような左派のポピュリズム政党は誕生していない。むしろ、政権交代のトラウマを抱える自公政権が政治が揺れるたびに現金をばらまくことで、ポピュリズムの芽を未然に潰しているともいえるだろう。

世界的に格差が小さい日本と南米を比べることは無理があるかもしれないが、欧米のように人種問題を抱えず移民排斥運動も盛んではない日本では現金のばらまきが好まれることも事実だ。サンパウロ駐在を終えて帰国した私が一番驚いたのは、21年の衆議院選挙でも、22年の参議院選挙でも、各政党が競うように現金給付策を掲げ、エネルギー問題や社会保障費など喫緊の課題に対し、議論らしい議論が行われていなかったことだ。

膨張する一方の社会保障費用の見直しにせよ、エネルギー問題を解決するための原子力発電所の再稼働にせよ、国民の反発を呼ぶような改革についての具体的な議論は避け、財源も示さぬままに現金を配ると約束する。悲しいかな、それが日本の政治の現状だ。財源もないままに現金給付策を競い合った、ブラジルのボルソナロとルラの泥仕合の選挙戦を我々日本人は笑うことができるのだろうか。

民主主義という仕組みにおいて、現金をばらまいて国民の歓心を買おうとする誘惑は常に存在する。それを抑えているのは市場の圧力であり、メディアや国民からの批判であり、政治家の良心だ。しかし、こうした仕組みはあまりにもろいものだということを、私は南米での取材を通じて痛感した。そして、日本に帰国後も引き続き体感している。

国民を説得するための言葉をもたない指導者と、家業として世襲で代々議席を引き継ぐ与党の議員。不満を持ちながらも、他に選択肢がないとそれを受け入れる市民。政権の受け皿になるという使命を放棄し、自分たちのコアな支持層のみに語りかけて議席にしがみつく野党。政治の劣化という言葉で簡単に片付けてよいものかどうか分からないが、それが健全でないことだけは確かだ。

私は永田町取材の専門家ではないので、これ以上日本政治の分析に踏み込むことは避けるが、原油価格が上がればガソリンに対して巨額の補助金を注ぎ、票田である高齢者からの反発を恐れて安価な医療を無尽蔵に提供するといった、現在のような放漫財政が持続可能だとは考えにくい。イギリスでは22年10月、大型減税を打ち出したトラス政権に対し、財政不安への懸念が発生したことで通貨が大幅に下落し、首相の交代や減税の撤回を余儀なくされた。市場の圧力が相手を選ぶことはない。

22年の後半に入り、日米の金利差が拡大したことで我が国は大規模な通貨売りを体験した。人々がドルを求めて両替商に行列をつくるという、ブエノスアイレスでおなじみの光景はまだ東京では見られないが、いつか「そのとき」がくると予感した日本国民は多いだろう。

世界的に小さいとされる日本の格差も、維持可能かは甚だ疑問だ。東京で暮らすようになって驚いたのが、教育熱の高さだ。4年半の南米暮らしで浦島太郎状態だったが、友人や同僚に話を聞いても、東京の一部地域では小学校低学年のうちから中学受験のための塾に通うのが当たり前で、同年代の間では、私立や国立の小学校受験も過熱している。それほどまでに、公立中学への進学を忌避する傾向は非常に強くなっている。公教育が信頼を失う中、余裕のある家庭から我が子のために多額の教育費をかけるという光景はブラジルで私が目の当たりにしたものだ。

一方、私が個人的にささやかながら支援しているひとり親を支援するＮＧＯからは、学校給食がない長期休暇中に食べるものがない子どもが増えていると、寄付の要請がひっきりなしに届く。小学生のうちから何百万円もかけて塾に通う子どもがいる一方、お腹を空かせている子どもも数多くいるというのが、日本の現状だ。機会の不平等が格差の再生産を招く格差社会への突入は、ポピュリズムが浸透する土壌ができつつあるということにほかならない。

一強多弱の現状の政治体制が続く限り、少しぐらい格差が拡大したからといって日本でポピュリズム政権が誕生するとは思えない。しかし将来、ボルソナロやルラ、チャベスのような、演説の力で国民感情を揺らすことができる政治家が現れたとき、日本の政治はこれまでのような歪んだ形の安定を保つことができるのだろうか。

大統領制を採っている国に比べ、議院内閣制の日本ではカリスマ的な政治家が誕生しにくいという事情はある。しかし、私がアルゼンチンで見たような混乱が日本で起きたならば、「私ならばこの国を再生できる」と語りかける魅力的なリーダーに、既存政党の政治家は、そして日本国民は抗うことができるだろうか。記者として、南米大陸の政治や経済、社会を4年半にわたって見てきた人間として断言する。南米で起きていることは、日本にとっても、そして日本人にとっても、対岸の火事ではない。

あとがき

東京に帰ってきて、靴が汚れなくなった。サンパウロを拠点に南米各国を飛び回っていた4年半、ニューバランスのスニーカーは常にほこりや泥まみれだった。どの国でも選挙集会は人混みでほこりっぽかったし、そもそも取材のフィールドは街だけではなかった。コロンビアでは元ゲリラ兵たちを追って舗装されていない砂利道を何時間も車に揺られたし、ブラジルのダム決壊災害の現場では膝まで泥に漬かった。チリでは抗議活動の撮影に夢中になって催涙ガスの巻き添えをくらい、地面をのたうち回ったこともある。帰国して1年以上経った今となっては、すべて夢だったではないかと思うほど現実味がない。

言うまでもなく、日本経済新聞は経済紙である。読者が求めている海外ニュースといえばニューヨークの記者が伝えるマーケットの最新情報であり、ワシントン特派員が執筆する米政界の分析記事であり、シリコンバレー支局から配信されるイノベーションの最前線だ。サンパウロ支局長として、電波も届かないような南米のジャングルで靴を泥だらけにしながら取材して書いた記事が本当に日本のビジネスマンの役に立っているのか、自己満足ではないのかと、後ろめたさがなかったと言えば嘘になる。

しかし幸いなことに、米州総局の歴代総局長は私の出張申請を苦笑いしながらも許可し、通常の紙面での原稿とは別に、電子版でのルポルタージュの執筆を支援してくれた。そしてありがたいことに、私の記事を楽しみにしているとツイッターを通じて応援してくれた読者の存在が、背中を押してくれた。記者冥利に尽きる。

残念ながら、日本における南米大陸のイメージは決して良いとは言えない。公共の電波を通じてテレビに流れる映像のほとんどが暴動などのショッキングなシーンであり、センセーショナルな切り取り方をされて日本の茶の間に「分かりやすく」伝えられる。本書は、そうした報道のように事態を単純化することなく、衝撃的なニュースの背後で実際は何が起こっていたのか、そこに至るまでにどういった歴史があるのか、丁寧に伝えることができればという動機で筆を執った。日本人にとっての南米の解像度を高める一助となれば、幸いである。

本書を書く上で、多くの方々に御支援をいただいた。中でも、サンパウロ支局編集助手の上原洋子さんと秘書のリリアン・ナオミ・タカハシさん、スタッフのエレン・グエラさんとエステル・サンタナさんには公私にわたって手厚くサポートしてもらい、感謝の言葉を言い尽くせない。危険を伴うベネズエラでの取材は、豊富な経験を持つカルロス・カマチョさんの助け無しには実現しなかった。同業他社の記者にも、会社の垣根を越えて相談に乗っていただいた。特に時事通信社の市川亮太さんと朝日新聞社の岡田玄さんには南米大陸の後輩としてかわいがっていただいた。ブラジルで出会った人々と、セルベージャ（ビール）を酌み交わしながら語り合った日々は生涯の宝だ。編集頂いた日経ＢＰの赤木裕介さんには私の遅筆で多大なるご迷惑をおかけしたが、辛抱強く待っていただいた。駐在中に関わったすべての人に、この場を借りて御礼を申し上げたい。

最後になるが、地球の反対側まで連れてきておきながら年間の３分の１は出張している夫に愛想を尽かすことなく、そして最初の読者となってくれた妻の知花にありったけの感謝の念を捧げたい。ブラジル帰りの少年として たくましく育っている弥太郎と慶太、そしてサンパウロで生を受けた環を含めた３人の子どもたちが大人になるまでに、南米大陸が本来持っている美しさを取り戻し、そこに住む人々が明るく笑っていることを願う。

２０２３年５月、サンパウロから１万８５２５キロメートル離れた東京の自宅にて

外山尚之

参考文献

・坂口安紀『チャベス政権下のベネズエラ』アジア経済研究所（2016年）
・坂口安紀『ベネズエラ―溶解する民主主義、破綻する経済』中公選書（2021年）
・Marta Harnecker、河合恒生・河合麻由子訳『チャベス 革命を語る』澤田出版（2007年）
・石田博士構成『中南米が日本を追い抜く日 三菱商事駐在員の目』朝日新聞出版（2008年）
・和田昌親『ブラジルの流儀―なぜ「21世紀の主役」なのか』中公新書（2011年）
・堀坂浩太郎、子安昭子、竹下幸治郎『現代ブラジル論―危機の実相と対応力』上智大学新書（2019年）
・John Barnes、牛島信明訳『エビータ』新潮文庫（1996年）
・García Márquez、後藤政子訳『戒厳令下チリ潜入記』岩波新書（1986年）
・斉藤泰雄『チリ：新自由主義的教育政策の先駆的導入と25年の経験』比較教育学研究第34号（2007年）

【著者紹介】
外山 尚之（とやま・なおゆき）
日本経済新聞記者 前サンパウロ支局長
2008年慶応義塾大学卒、同年、日本経済新聞社入社。
前橋支局や国際部を経て、2017年より2022年までサンパウロ支局長。
南米大陸の各国でのルポ執筆に力を入れる。
Twitter@NaoyukiToyamaは中南米関係者を中心に3600人のフォロワーを抱える。

ポピュリズム大陸　南米

2023年6月14日　1版1刷

著　者　　外山尚之
　　　　　©Nikkei Inc., 2023

発行者　　國分正哉
発　行　　株式会社日経BP
　　　　　日本経済新聞出版
発　売　　株式会社日経BPマーケティング
　　　　　〒105-8308　東京都港区虎ノ門4-3-12

ブックデザイン　野網雄太（野網デザイン事務所）
本文組版　朝日メディアインターナショナル
印刷・製本　三松堂

ISBN978-4-296-11346-0